Niveau

Nicole **Blondeau,** Université Paris VIII
Ferroudja **Allouache,** Professeur de lettres et de FLE

Littérature Progressive de la Francophonie

avec 750 activités

www.cle-inter.com

CRÉDITS PHOTOGRAPHIQUES :

Couverture (de gauche à droite) : © Louis Monnier / RUE DES ARCHIVES – © Keystone / EYEDEA – © Erling Mandelman / EYEDEA – © Basso Cannarsa / OPALE – © Effigie / LEEMAGE – © Jacques Sassier / Gallimard / OPALE – © Thibault de Saint Chamas / OPALE – © PRESENCE AFRICAINE.

10 Ph. © Louis Monier / Gamma / EYEDEA
14 Ph. © ROGER-VIOLLET
16 Ph. © Geoffroy Mathieu / OPALE
18 Ph. © Patrick Box / EYEDEA
20 Ph. © Effigie / LEEMAGE
22 Ph. © Witti Detera / OPALE
24 Ph. © Sylvie Biscioni
26 Ph. © Louis Monnier / RUE DES ARCHIVES
28 Ph. Coll. Archives Bordas-DR
30 Ph. © RUE DES ARCHIVES
32 Ph. © J. Foley / OPALE
34 Zineb Labidi, portrait à la plume, réalisé par Denis Martinez © Marsa Editions (Visages et silences d'Algérie, 1997)
36 Ph. © Studio Lipnitzki / ROGER-VIOLLET
38 Ph. © Erling Mandelman / EYEDEA
40 Ph. © Jean-Pol Stereq / OPALE
42 Ph. © Frederic Reglain / EYEDEA
44 Ph. © Basso Cannarsa / OPALE
46 Ph. © Keystone / EYEDEA
48 Ph. © Gérald BLONCOURT
50 Ph. © Philippe Pache / EYEDEA
52 Ph. © Ulf Andersen / AFP
54 Ph. © Hannah / OPALE
56 Ph. © RUE DES ARCHIVES / PVDE
58 Ph. © Henri Martinie / ROGER-VIOLLET
60 Ph. © RUE DES ARCHIVES / Tal
62 Ph. © Robert Doisneau / Rapho / EYEDEA
64 Ph. Nicolas Bouvier,Tabriz, hiver 1953-1954 © MUSEE DE L'ELYSEE LAUSANNE
66 Ph. © Jacques Sassier / Gallimard / OPALE
68 Ph. © Hulton Archive / Intermittent / GETTY IMAGES
70 Ph. © Diarmid Courreges / AFP
72 Ph. © Gilles Horn / OPALE
74 Ph. © John Foley / OPALE
76 htg Ph. © Patrick Box / OPALE
78 Ph. © AFP
80 Ph. Coll. Archives Bordas- DR
82 Ph. © Edouartd Boubat / EYEDEA
84 Ph. © John Foley / OPALE
86 Ph. © Jerry Bauer / OPALE
88 Ph. © Louis Monier / RUE DES ARCHIVES
90 Ph. © X-DR
92 Ph. © Studio Ethel / EYEDEA
94 Ph. © Thibault de Saint Chamas / OPALE
96 Ph. © Martin / ANDIA PRESSE
98 Ph. © Ulf Andersen / Gamma / EYEDEA
100 Ph. © MP / LEEMAGE
102 Ph. © John Foley / OPALE
104 Ph. © PRESENCE AFRICAINE
106 Ph. © AFP
108 Ph. © Louis Monier / RUE DES ARCHIVES
110 Ph. © Frederic Myss / OPALE
112 Ph. © Gilles Simon / Editions Zoé
114 Ph. © Sabine Weiss / EYEDEA
116 Ph. © Edouard Boubat / EYEDEA
118 Ph. © Keystone / EYEDEA
120 Ph. © Ulf Andersen / Gamma/EYEDEA
122 Ph. © Albert Harlingue / ROGER-VIOLLET
124 Ph. © Keystone / EYEDEA
126 Ph. © Louis MONIER
128 Ph. © Jacques Sassier / Gallimard / OPALE
130 Ph. © Jean-Claude Gisbert / OPALE
132 Ph. © Jean Claude Gisbert / OPALE
134 ht Ph. © Jacques Sassier / OPALE
134 b Ph. © Olivier Roller / FEDEPHOTO
136 ht Ph. © Philippe Matsas / OPALE
136 b Ph. © Philippe Matsas / OPALE
138 ht Ph. © Patrick Box / OPALE

Direction éditoriale : Michèle Grandmangin
Édition : Bernard Delcord
Maquette : Télémaque
Couverture : Fernando San Martin
Mise en page : Alinéa
Iconographie : Danièle Portaz

ISBN : 978-209-038078-1

Avant-Propos

La langue est hospitalière. Elle ne tient pas compte de nos origines.
Edmond Jabès, *Le Livre de l'hospitalité.*

Ce manuel a pour objectif de faire découvrir, à travers un large choix d'extraits, la richesse et la diversité des « littératures francophones ». Il s'adresse à un public d'élèves ou d'étudiants de **niveau intermédiaire** ayant suivi **200** à **250** heures d'enseignement de français.

Littérature francophone ou littératures francophones ?

L'appellation « littérature(s) francophone(s) » n'est pas sans soulever des interrogations. Pluriel ou singulier ? Au singulier, l'expression engloberait « tous les textes écrits en français, par des Français comme tous les autres auteurs francophones. » alors qu'au pluriel, elle désignerait « les ensembles de textes de langue française qui proviennent de pays ou de régions hors de France. » (J.-L. Joubert). Cependant, quel que soit le nombre choisi, il est rare qu'elle soit entendue comme incluant la littérature française. « Francophonie sans les Français ? » se demande Anna Moï.
L'opposition littérature française/littérature francophone se construirait-elle sur des appréciations non dites, souterraines, entre prestige et ancienneté pour l'une, moindre rayonnement et naissance relativement tardive pour l'autre, entre légitimité et soupçon d'illégitimité, entre une langue représentante des belles-lettres et une autre, hybride, métissée, s'écartant de la norme, bafouant la loi linguistique ? Cette opposition doit-elle être pensée dans le cadre des interactions inégalitaires entre centre et périphérie et d'une redéfinition incessante des frontières ? Quoi qu'il en soit, s'offre à nous une multitude d'œuvres dont les auteur(e)s, né(e)s hors de France, ont le français comme langue de création littéraire.

Organisation du manuel

Les extraits choisis pour ce manuel sont regroupés par axes thématiques et classés chronologiquement à l'intérieur de chaque thème : *Femmes, S'exiler/passer la frontière, S'aimer, Injustices, Voyageur/voyageuse, Enquêtes policières, Enfances/école, Écrire l'indicible, Expérience de l'autre/découverte de l'inconnu, Absurde, Silences de l'Histoire*. Il s'agit de mettre les écrits en regard, d'entendre et de reconnaître les échos qu'ils se renvoient, de multiplier les points de vue, de relier les sujets abordés, de confronter les idées... Le premier thème est celui de l'*Hospitalité*, lié pour nous à l'Étranger, à la langue, à la pédagogie aussi, qui ouvre le manuel et donc, symboliquement, invite le lecteur à « franchir le seuil ». Le dernier est une interrogation : *Littérature(s) francophone(s)* ? Les acceptions divergentes de cette expression, les options idéologiques qu'elle sous-tend et son apparente évidence brouillent la complexité des enjeux. Godbout, Almassy, Nimrod, Condé, Laferrière, Mabanckou expriment leurs positions, se rencontrent et se confrontent. Au lecteur de se construire une libre opinion.

Objectifs

Notre but est de donner à comprendre une écriture littéraire de langue française qui n'est réductible ni aux appartenances culturelles et géographiques, ni à l'Histoire, même si elle en participe, mais qui relève de la singularité transgressive de tout créateur, inscrit dans le monde, qui en interroge les apories, met en scène les avatars de l'Histoire, les hasards des naissances et les aléas des élaborations identitaires multiples, se questionne sur « l'humaine condition ».

Mais il ne s'agit pas non plus de banaliser ces œuvres et d'en taire l'originalité en adoptant une posture exclusivement universaliste, tout aussi peu éclairante que l'alternative absolument différentialiste. Ce sont certains de ces auteurs qui ont construit, de l'intérieur, une vision de l'esclavage et du colonialisme, opposée à la doxa véhiculée en France métropolitaine (R. Maran, A. Césaire, J. Zobel, R. Confiant, P. Chamoiseau, M. Dib…) et qui ont fait entendre le tintamarre de leurs écrits face aux silences de l'Histoire officielle. Ce sont certains de ces auteurs qui, rejetant toute domination historique et linguistique, se sont emparés du français et l'ont plié, déplié, ouvert à d'autres rythmes (L.S. Senghor, G. Miron, R. Confiant, P. Chamoiseau, I. Souss, H. Michaux…), l'ont rendu hospitalier à d'autres langues (R. Confiant, P. Chamoiseau, M. Tremblay, A. Hébert, V. Gardon, I. Eberhardt, P. Istrati…), l'ont pensé comme langue hospitalière (E. Jabès), langue de l'amour entre l'Algérienne et le Français (A. Djebar). Ils ont imposé au français/aux Français leur langue, leur culture, leur histoire. D'autres, élèves de l'école coloniale, aux derniers soubresauts de la colonisation, ont utilisé un français des plus classiques pour dire leurs cultures, le quotidien des pauvres et des dominés (M. Feraoun, C. Laye, M. Dib, J. Zobel). À l'opposé, des années plus tard, M. Yourcenar, dans un français aussi des plus classiques, évoque son éducation d'enfant socialement et culturellement favorisée. Au-delà de ces situations sociales et linguistiques, S. Beckett, E. Ionesco, A. Kristof travaillent les apories du langage pour montrer la vacuité de la communication, l'absurdité du monde… K. Yacine adopte le mode du comique pour souligner le tragique des situations politiques et humaines alors que S. Labou Tansi opte pour la violence du langage afin de mieux dénoncer la violence de l'Afrique, héritée pour partie de la violence coloniale. Dans un autre temps, d'autres vivent l'horreur absolue (E. Wiesel, J. Semprun, I. Némirovsky) et les survivants survivent dans la tension de la transmission de l'indicible (E. Wiesel, J. Semprun). Presque tous font l'expérience du départ des lieux originels, de l'exil, des ruptures (Ch. Arnothy, F. Amrouche, Y. Chen, A. Chédid, Z. Labidi, N. Bouvier, B. Cendrars, A. Kristof, S. Sa, I. Eberhardt, V. Alexakis, A. Laâbi, K. Yacine, E. Jabès…) et jettent leur ancre/encre ailleurs. Ils se révèlent accueillants, sensibles à la diversité, aux expériences bigarrées et diffractées du monde dont ils irriguent leurs écrits. Tous ont en commun l'expérience de l'Autre, de l'altérité, qui fabrique des identités tricotées et bricolées, souvent dans la violence, parfois dans l'empathie. Tous sont en quête et conquête d'espaces politiques et géographiques qui assurent liberté d'être, de vie et de création aux malmenés de l'Histoire.

Cet ouvrage vise donc une véritable « poétique » de la diversité.

Nos choix

– Nous avons féminisé quelques noms *(auteure, écrivaine, professeure)*, comme le Québec et la Belgique le font déjà depuis de nombreuses années.
– Aucun passage n'a été éliminé à l'intérieur des extraits choisis.
– Nous n'avons pas donné de titre aux extraits : choisir un titre, c'est déjà imposer une orientation de lecture. Les titres de haut de page sont ceux des œuvres dont les passages sont extraits, à l'exception de Labidi et des poèmes de Laâbi, Brel, Senghor, Miron et Cendrars auxquels un titre avaient déjà été attribué.
– Aucun exercice de grammaire ou de vocabulaire n'accompagne la démarche pédagogique. La littérature n'est pas un prétexte à ce type de travail. La norme grammaticale est parfois impuissante à exprimer une pensée singulière : l'auteur joue souvent sur les écarts par rapport aux modèles et les écrivain(e)s présenté(e)s dans ce manuel jouent d'autant plus sur/avec les normes que leurs écrits mettent en mots et en discours la réalité qu'ils affrontent au regard d'une doxa politico-linguistique construite dans l'Hexagone. En revanche, la grammaire et le lexique sont interrogés lorsqu'ils révèlent une intention particulière de l'auteur(e), participant ainsi de la spécificité du texte, participant aussi de la spécificité culturelle/historique de l'auteur (exemples : le présent de narration, le champ lexical…).
– Dans la partie « Pour mieux comprendre », l'explication des mots est souvent celle qui est portée par le texte. Certains termes appartenant aux langues maternelles des auteur(e)s sont explicités.

Pour une pédagogie de l'accueil et de l'hospitalité

Les textes des littératures francophones restent relativement peu étudiés dans l'école française. En tant que support d'apprentissage de langue, ils sont en général marginalisés, soit par ignorance, soit parce qu'ils sont « suspectés » de mobiliser un français qui s'écarte de la norme. Si des auteurs tels que Condé, Ben Jelloun, Césaire, Senghor, Cendrars, Michaux, Beckett et Ionesco sont largement présents dans les anthologies et manuels, l'immense majorité des autres semble vouée au silence. Or, les voix qu'ils expriment, leur singularité, leur manière d'aborder et d'interroger le monde sont autant de points de vue qui aident le lecteur à appréhender la complexité d'un univers désormais global, à se situer dans ce « tout-monde » inclusif dont parle Glissant.

Il s'agit aussi et avant tout d'accueillir la parole de l'étudiant qui a, en général, toujours quelque chose à dire. Les résistances du texte n'étouffent pas nécessairement la parole du lecteur étranger qui, en apprenant à le regarder, en percevant, parfois intuitivement, les entrées possibles, en laissant jouer son imagination, en utilisant ses compétences linguistiques, même parcellaires, le transforme en espace à explorer, à investir, à conquérir.

La démarche

Axes généraux :

La démarche est ancrée dans le texte et dépend de lui : il n'y a donc pas de démarche systématique. Cependant, des axes peuvent être dégagés :

– Il s'agit de privilégier la découverte, l'interrogation, la réflexion. Ce n'est pas une compréhension parfaite qui est visée, mais il n'est pas non plus question seulement de compréhension globale, puisque des faits de langue, des écarts par rapport à la norme, des mouvements discursifs ou des jeux poétiques sont analysés.

– La première lecture est silencieuse : l'étudiant reste seul face aux bruissements du texte.

Il est important de lui laisser le temps de ressentir l'effet que produit l'écrit. Il n'y a pas d'obligation de respecter une lecture linéaire : elle peut être vagabonde, s'accrocher à des mots, des fragments qui font naître des sensations, des images, des questions. L'étudiant peut balayer l'aire scripturale, récolter ce qu'il peut ou ce qu'il veut pour construire son propre parcours de lecture.

– La lecture de la biographie n'est pas le premier passage obligé. Mieux vaut choisir, d'emblée, le texte et son entourage, afin de ne pas induire d'interprétations en fonction des éléments biographiques. Cependant, certaines questions portent sur les biographies qui permettent d'éclairer les textes.

– Lorsqu'arrive le moment de la mise en commun des réactions face aux écrits, les interactions dans la classe participent à l'élaboration des sens pluriels du texte.

Accompagnement pédagogique :

Première étape : découverte

C'est la première rencontre avec le texte. Elle peut se faire sans le lire, seulement en regardant sa composition, la typographie, la ponctuation, les fractures, les entailles, ce qui rompt avec la linéarité du continuum linguistique, en repérant des fragments. L'image du texte, son organisation, est porteuse de sens. Élaborer des hypothèses sur le genre d'écrit proposé, sur ses thèmes possibles, sur l'intrigue, c'est créer un horizon de lecture, une attente. Le travail sur le paratexte est important : les indices qu'il livre apportent des éléments de reconnaissance, orientent la lecture, ancrent l'œuvre dans un contexte.

Deuxième étape : exploration

C'est la confrontation avec le texte.

– Les tâches à effectuer : « repérer, observer, noter, relever, souligner, reformuler… » rendent l'élève actif face à l'écrit. Il n'attend pas que le sens se donne (ou que l'enseignant le lui suggère), il l'élabore par tâtonnements, en liant les indices, en croisant les données. Ces tâches ne se réduisent pas à des mécanismes, mais aident à construire du sens. L'élève ne relève pas un seul mot, mais aussi son entourage, même si celui-ci ne fait pas l'objet d'interrogation. Il est déjà dans la lecture.

– Pour faciliter la compréhension, des reformulations élucident certains passages jugés difficiles. Les codes socio-historico-culturels qui éclairent

les textes sont explicités. Notre volonté est d'accompagner l'étudiant dans sa lecture et non de le mettre en difficulté.
– Le texte littéraire est aussi un support de communication et un déclencheur de besoin de langage : les étudiants comprennent souvent ce qui est écrit mais ne disposent pas des formes linguistiques ni du vocabulaire pour exprimer leur pensée. Le fait que l'enseignant apporte ce dont ils ont besoin « en contexte » aide à l'expression et facilite la mémorisation.
– Le lecteur est sans cesse sollicité sur ce qu'il pense, ce qu'il ressent, ce qu'il connaît du monde, ce qu'il est.
– La dernière question articule généralement lecture et production ou propose une réflexion ouverte à partir du texte/d'autres textes du manuel.

Le corrigé

C'est un guide pour l'utilisateur et non une référence absolue.

Pour ne pas conclure

Sans doute la littérature est-elle un carrefour d'interculturalité dans le sens où elle confronte le lecteur à des valeurs, des croyances qui ne lui sont pas toujours familières. Sans doute que les voix contradictoires qui s'y expriment permettent d'échapper à l'enfermement d'une vision exclusive du monde et peut-être de tendre vers une universalité de valeurs. De toute évidence, à la lecture des œuvres des auteur(e)s de cette Francophonie plurielle et diffractée, faut-il aller plus loin, penser plus loin et entendre, d'une manière à la fois hospitalière et critique, l'engagement de R. Confiant (13 novembre 2005) :

« À la vieille Universalité européenne, nous souhaitons opposer la Diversalité, notion qui tout en maintenant l'idée d'un destin commun à l'espèce humaine, exige le respect et surtout la sauvegarde des identités particulières, non pas dans l'enfermement ou le nombrilisme, mais dans l'interaction librement consentie, dans la créolisation acceptée, voulue, recherchée même, et non plus subie. »

Les auteures

Sommaire

Le Livre de l'Hospitalité

Edmond Jabès

(Le Caire, Égypte, 1912 – Paris, 1991)

Il passe son enfance au Caire, dans une famille francophone. Quand Nasser décrète que l'Égypte est arabe, il est obligé de quitter ce pays en 1957 parce qu'il est juif. Il s'installe à Paris, se lie d'amitié avec de nombreux écrivains (Gide, Michaux, Bonnefoy…). Il publie un recueil de poèmes écrits entre 1943 et 1957 sous le titre *Je bâtis ma demeure* : il questionne les mots, les sonorités, la parole poétique. L'œuvre de Jabès, traversée par les thèmes de l'errance, du déracinement, est nourrie de ses échanges avec Derrida, Lévinas, Blanchot, mais aussi de sa lecture singulière du Talmud, d'où l'obsession du mot « livre » qui revient dans ses titres : *Le Livre des questions, Le Livre des ressemblances, Le Livre des limites, Le Livre des marges, La mémoire des mots*. L'auteur choisit le récit, l'aphorisme, le dialogue, le commentaire… comme méditation sur le Livre, lieu de croisement, d'échanges, d'altérité. Dans *Le Livre de l'hospitalité* (publié après sa mort), Jabès utilise la forme fragmentaire pour donner la parole à l'Autre, porteur d'un message d'espérance et de fraternité. « Venir au monde en poète, c'est être dans le monde autrement qu'en y résidant », écrit-il.

Les mots changent-ils quand ils changent de bouche ?

– Que viens-tu faire dans mon pays ?

- De tous les pays, le tien m'est le plus cher.

– Ton attachement à ma patrie ne justifie pas ta permanente présence parmi nous.

- Que me reproches-tu ?

– Étranger, tu seras, toujours, pour moi un étranger.
Ta place est chez toi et non ici.

- Ton pays est celui de ma langue.

– Derrière la langue, il y a un peuple, une nation.
Quelle est ta nationalité ?

- Aujourd'hui, la tienne.

– Un pays est, d'abord, une terre.

- Cette terre est, aussi, dans mes mots. Mais je le confesse, elle n'est pas la mienne.

– Enfin, tu avoues.

- Je n'ai pas, vraiment, de terre.
J'ai, du livre, fait mon lieu.
Tu le sais.

– Tu as, très habilement, œuvré afin de t'approprier ma langue.

- Ne la partageons-nous pas ?

– Nullement.
Tu l'as apprise. C'est tout.
Moi, je suis né avec.

Pour mieux comprendre

Cher : qui est aimé, adoré.
Permanent(e) : qui dure longtemps.
Confesser : dire la vérité, **avouer**.
Œuvrer : travailler.

- Doux leurre. J'ai, chaque fois, le sentiment que ma langue naît avec moi.

– L'exercice, la pratique d'une langue ne nous donnent aucun droit sur elle. Ils nous incitent à la parler, à l'écrire le plus correctement possible.

- Ils nous donnent le droit de l'aimer. Et n'est-ce pas à elle que j'ai recours, pour mieux me connaître, me comprendre ; pour interroger, enfin, mon devenir ?

– Tu ne peux revendiquer le passé de ma langue.

- Mon passé est le sien, dans la mesure où mes premiers mots m'ont été soufflés par elle.

– Ils auraient pu, tout aussi bien, être mots d'une autre langue.

- Sans doute. Au départ, il y a le désir.

– Ton désir, peut-être, mais pas, forcément, le sien. La langue est libre d'attaches. C'est aux circonstances que tu dois d'avoir adopté ma langue. Moi, j'ai hérité d'elle.

- Mes parents me l'ont révélée. Mes paroles, depuis, sont de reconnaissance envers elle et de fidélité.

– Est-ce parce que ma maison te plaît qu'elle est à toi ?

- La langue est hospitalière. Elle ne tient pas compte de nos origines. Ne pouvant être que ce que nous arrivons à en tirer, elle n'est autre que ce que nous attendons de nous.

– Et si nous n'en attendons rien ?

- Ta solitude sera égale à la nôtre.
Je te fais don, ce soir, de mon livre.

– Un livre ne s'offre pas. On le choisit.

- Ainsi en est-il de la langue.

Edmond Jabès, « L'hospitalité de la langue », in *Le Livre de l'Hospitalité*,
Paris, © Éditions Gallimard, 1991.

Pour mieux comprendre

Un leurre : une illusion, quelque chose de faux, une tromperie.

Avoir recours à : faire appel à, s'adresser à, demander.

Revendiquer : demander avec force, réclamer.

Les circonstances : le hasard, la situation du moment.

Hospitalier(ère) : qui est accueillant(e).

ACTIVITÉS

Découverte

1. Quels sont les titres du livre et de la sous-partie d'où ce passage est extrait ? Comment les comprenez-vous ?
2. Observez le document : comment est-il composé ? À votre avis, de quel genre de texte s'agit-il ? Faites des hypothèses.
3. Lisez l'exergue (la phrase avant le texte) : commentez le parallélisme entre *mots/bouche* et le double emploi du verbe *changer*. Que répondriez-vous à cette question ?
4. À partir des réponses apportées aux questions précédentes, faites des hypothèses sur le(s) thème(s) de ce texte.
5. Lisez les deux premières répliques : qui parle ? Qui peuvent être ces personnes ? Revenez à la question 2 et vérifiez vos hypothèses sur le type de texte.

Exploration

• Pour commencer

1. Lisez tout le texte. Quelles sont vos premières impressions ? Mettez A et B devant les répliques et numérotez-les.

   ....

2. Soulignez les 3 mots les plus répétés. Quels liens faites-vous entre ces mots ?

   ....

3. Lisez les 5 premières répliques : que demande A à B et que répond B ? Sa réponse satisfait-elle A ? Que pensez-vous de la réplique 5 ?

   ....

4. Comment A considère-t-il l'Autre, B ? Comment interprétez-vous la reprise du mot *étranger*, le futur *seras* et l'adverbe *toujours* ? Comment jugez-vous l'attitude de A ?

   ....

5. Répliques 6 à 11 : quels liens différents établissent A et B entre *pays*, *langue* et *terre* ? Pour A, qu'est-ce qui n'appartient pas à B, l'étranger ? Qu'en pensez-vous ?

   ....

6. Commentez la réplique 12. Pour l'étranger, que représente le « livre » ?

   ....

7. Répliques 13 à 15 : que revendique A ? Que refuse-t-il à l'étranger ? Comment comprenez-vous son attitude ? Développez votre point de vue.

   ....

ACTIVITÉS

8 L'écrivain franco-roumain Cioran écrit : « On n'habite pas un pays, on habite une langue ». Que vous inspire cette parole ?

• Pour continuer

1 Réplique 23 : « Moi, j'ai hérité d'elle ». Qu'est-ce qui oppose A et B par rapport à la langue ?

2 Soulignez le groupe nominal « Doux leurre » : prononcez-le à voix haute et écrivez ce que vous entendez. Que constatez-vous ? Par le jeu phonie/graphie, qu'est-ce que B rappelle à A ?

3 Répliques 17-18 : quel droit sur la langue défend l'étranger ? De nouveau, quelle est la position de A ?

4 Réplique 24 : que revendique ici l'étranger ? Commentez les mots « reconnaissance » et « fidélité ».

5 Réplique 25 : à quel « jeu » joue A ? À quelle conclusion veut-il amener B ? Peut-on mettre sur le même plan la *maison* et la *langue* ? Développez votre réponse.

6 Que répond B (réplique 26) ? Partagez-vous cette opinion ? Justifiez votre réponse.

7 En offrant son livre, de quoi l'étranger fait-il prendre conscience à A, le natif ? Qui a le dernier mot et quel message est transmis ?

• Pour ne pas terminer…

1 Après la lecture de ce passage, comment réinterprétez-vous les titres du livre et de la sous-partie ?

2 « Que viens-tu faire dans mon pays ? » : lisez les textes de Michel Layaz et de Maryse Condé dans ce manuel. Quels sont les points communs entre ces extraits ?

3 Le philosophe Jacques Derrida parle d'« hospitalité inconditionnelle » qui consiste à accueillir l'Autre, l'étranger sans rien lui demander. Que suppose ce rêve ?

Anne Hébert

(Sainte-Catherine-de-Fossambault, [Québec], 1916 – Montréal, 2000)

Première femme francophone scénariste de l'Office National du Film du Canada, c'est l'une des écrivaines québécoises les plus connues, dont l'œuvre est couronnée par de nombreux prix. D'une jeunesse heureuse, elle garde le souvenir de paysages d'eau et de forêts qui imprègnent ses écrits. Son entourage (Maurice Hébert, son père, poète et critique, Saint-Denis Garneau, son cousin, poète) a eu une forte influence sur sa poésie qui exprime l'essentiel : *Les songes en équilibre* (1942), *Le Tombeau des rois* (1953). *Le torrent* (nouvelles, 1950), est refusé par les maisons d'édition car jugé « trop violent ». *Les Chambres de bois* (roman, 1958) obtient le prix de l'Association France-Canada. Elle est élue membre de la Société Royale du Canada (1960). Cependant, le succès ne viendra qu'en 1970, avec *Kamouraska*, histoire éclatée d'amour et de mort, adapté pour le cinéma. En 1982, le prix Fémina lui est attribué pour *Les Fous de Bassan* (adapté aussi pour le cinéma), confessions croisées d'habitants d'un village autour de la disparition de deux adolescentes. Après 32 années passées à Paris, elle retourne sur sa terre natale en 1998. Elle meurt à Montréal le 22 janvier 2000. « Pour pouvoir écrire, il faut avoir beaucoup rêvé », disait-elle.

Les Fous de Bassan

Été 1936, à Griffin Creek, village du Québec. Stevens regarde sa cousine Olivia nager ; elle a 17 ans.

Depuis le temps qu'elle se cache dans des occupations ménagères, séquestrée par trois hommes ombrageux, son corps magnifique gêné dans ses gestes les plus simples, par la peur d'être soi-même, belle et désirable, avouable et avouée, dans la lumière de l'été. Ce que je sais d'elle ? Quelques paroles échangées quelquefois en passant. Rien, moins que rien.

– Hello Olivia !

– Hello Stevens !

– Y fait beau à matin.

– Ben beau !

La même peur toujours, le même air farouche. Je ne m'appartiens pas, pense-t-elle. Je leur appartiens à eux mes frères, à mon père, aussi. À Dieu qui nous regarde. J'ai juré à ma mère mourante… Les bras d'Olivia voltigent au-dessus des framboisiers sauvages. Les fruits rouges aux reflets violets, entre les doigts d'Olivia. Les bras nus d'Olivia étendent des draps mouillés sur la corde à linge, derrière la maison de son père. Le vent fait claquer les draps comme des voiles de bateau. Les cheveux dorés d'Olivia en mèches folles dans le vent. Sa robe blanche s'envole sur ses longues jambes nues. La peur en elle monte d'un cran lorsque je m'approche et que je la regarde fixement. Son cœur bat plus vite tel un oiseau au creux d'un poing fermé. Tant d'images d'elle amassées, tout le long de l'été. Sa peur délectable surtout. L'odeur musquée de sa peur.

Voici que ce matin cette fille est libre dans la mer comme si je n'existais pas, avec mon cœur mauvais, ni moi, ni personne. Seule au monde dans son eau natale.

Anne Hébert, *Les Fous de Bassan*, Paris, © Éditions du Seuil, 1982.

Pour mieux comprendre

Un fou de Bassan : un grand oiseau de mer, au corps blanc, au bout des ailes noir et au bec jaune.

Les occupations ménagères : nettoyer la maison, faire la cuisine…

Séquestrer : enfermer, priver une personne de liberté.

Ombrageux : difficile, jaloux, qui ne fait confiance à personne.

Avouable et avouée : ce que l'on peut, ce que l'on s'autorise à dire et ce qui est dit.

Un air farouche : une attitude à la fois sauvage, qui ne correspond pas aux normes sociales, et timide.

Voltiger : tourner dans l'air.

Un framboisier sauvage : un petit arbre qui pousse dans la nature (**sauvage**) et qui donne un fruit rouge.

Monter d'un cran : augmenter, devenir plus grand.

Un poing fermé : une main repliée sur elle-même.

Amasser : réunir quelque chose en grande quantité. Accumuler, entasser.

Délectable : qui est très agréable, délicieux.

Musquée : qui a l'odeur du musc, une odeur sucrée qui ressemble à celle du miel.

Découverte

1. Quel est le titre du roman d'où se passage est extrait ? Qu'évoque-t-il pour vous ?
2. Lisez le chapeau au-dessus du texte : repérez l'époque, le lieu, les personnages et ce qu'ils font. Quel lien établissez-vous avec le titre (reportez-vous à « Pour mieux comprendre ») ?
3. Regardez le texte : comment est-il composé ?
4. Lisez le texte. Que comprenez-vous ? Quelles sont vos premières impressions ?
5. Pour faciliter l'analyse, délimitez les passages où Stevens « parle » et ceux où Olivia « parle ».

Exploration

1. Que remarquez-vous dans les deux dernières répliques de la partie dialoguée ? Expliquez vos remarques.
2. Combien de fois le mot « peur » est-il répété ? Quel personnage éprouve ce sentiment ?
3. La peur est liée à l'enfermement. Dans le premier paragraphe, relevez les mots qui expriment cet enfermement. Dans quoi et par qui le personnage est-il « enfermé » ?
4. Dans la partie « La même peur (...) mourante », de quelle manière est reprise l'idée d'enfermement ? Quels éléments nouveaux développent cette idée ? Qu'est-ce que le personnage ne peut pas être (revenez au premier paragraphe) ?
5. « Les bras d'Olivia (...) de sa peur » : Stevens se souvient d'autres rencontres avec Olivia. Dans la description de la jeune fille, à quelles parties visibles du corps s'attache son regard ? À quelles activités certaines sont-elles associées ? Quelles images sont données de la jeune fille ?
6. Quelle est la réaction d'Olivia lorsque Stevens s'approche d'elle ? Retrouvez la comparaison qui illustre cette réaction et commentez-la. Comment comprenez-vous les deux dernières phrases de ce passage ?
7. Dans cette partie, Anne Hébert passe de phrases verbales à des phrases non-verbales : quel est l'effet produit ?
8. Concernant les personnages, quelle rupture et quelle continuité apporte le dernier paragraphe ? Écrivez une suite immédiate à cette rencontre.

Des rêves et des assassins

Malika Mokeddem

(Kenadsa, dans le désert algérien, 1949).

Elle fait des études de médecine à Oran, puis à Paris et devient néphrologue. À partir de 1985, elle se consacre essentiellement à l'écriture.

Son premier roman, *Les hommes qui marchent* (1990), est couronné par le prix Littré, le prix collectif du festival du Premier roman de Chambéry et le prix algérien de la fondation Nourredine Aba, son second, *Le Siècle des sauterelles* (1992), par le prix Afrique-Méditerranée de l'ADELF. *L'Interdite*, publié en 1994, reçoit le prix Méditerranée-Perpignan. Paraissent ensuite *Des rêves et des assassins* puis *Mes hommes* en 2005.

Malika Mokeddem porte un regard très critique sur la société algérienne contemporaine. Elle s'insurge contre les injustices, les violences faites aux femmes au nom de la tradition et de la religion. Son œuvre se construit comme une véritable écriture de la révolte.

La plupart des filles, nées comme moi à l'Indépendance, furent prénommées Houria : Liberté ; Nacira : Victoire ; Djamila : la Belle, référence aux Djamila héroïnes de la guerre... Moi, on m'appela Kenza : Trésor. Quelle ironie ! Des trésors de la vie, je n'en avais aucun. Pas même l'affection due à l'enfance. Ce prénom me sied aussi peu que ceux appliqués aux Liberté entravées, aux Victoire asservies et aux héroïnes bafouées. Très tôt, je me suis rendu compte de ce paradoxe. Et très tôt aussi, j'ai su que ce n'était ni par sadisme ni par cynisme qu'on nous attribuait ces prénoms. L'ignorance méconnaît ses propres perversions.

Peut-être aurions-nous su d'emblée à quoi nous en tenir avec des prénoms tels que : Méprisée, Indésirable, Mal-Aimée... et Ruine pour Trésor.

L'école, seule échappée. Apprendre la langue de l'autre, premiers pas vers la singularité. Vers une solitude de plus en plus profonde. Et, à chaque rentrée des classes, je découvrais que des pères avaient retiré des Houria, des Nacira et des Djamila de l'école pour les marier, de force. J'aurais dû me méfier ! Je n'aurais jamais dû croire que cet immense rêve collectif de liberté, qui embrasait tout le monde, allait contribuer à forger des hommes différents. Il portait déjà en lui ses discriminations. Des pères qui brisent l'avenir de leurs propres filles sont capables d'enchaîner toutes les libertés.

Quelque chose était déjà détraqué dans le pays, dès l'Indépendance. Mais ça, je ne le savais pas encore.

Malika Mokeddem, *Des rêves et des assassins*, Paris, © Éditions Grasset & Fasquelle, 1995.

Pour mieux comprendre

Un assassin : une personne qui tue une autre personne ; un meurtrier.

L'Indépendance : il s'agit de celle de l'Algérie qui a été colonisée par la France de 1830 à 1962. La guerre d'Indépendance a duré de 1954 à 1962.

Une héroïne (féminin de *héros*) : une femme très courageuse.

Une ironie : le fait de se moquer.

Me sied, v. *seoir* : me va bien.

Entravé(e) : qui n'est pas libre, qui est attaché(e). Le fait d'**enchaîner**.

Asservi(e) : qui est dominé(e), soumis(e).

Bafoué(e) : dont on se moque. **Méprisé(e)**, ridiculisé(e).

Un paradoxe : une contradiction.

Le sadisme : le fait d'aimer faire le mal, de prendre plaisir à faire souffrir.

Le cynisme : le mépris, la brutalité.

Méconnaître : le contraire de connaître.

Une perversion : un acte mauvais.

La singularité : qui est unique, individuel.

Embraser : provoquer une passion très forte, enflammer.

Forger : fabriquer.

Détraqué : qui fonctionne mal.

ACTIVITÉS

Découverte

1 Quel est le titre du roman d'où ce passage est extrait ? Quels noms s'opposent ? Par quel mot sont-ils reliés et quelle est sa valeur ? Comment interprétez-vous ce titre ?

2 Lisez le texte : qui parle ? Quel évènement historique est mentionné (première et avant-dernière phrases) ? De qui est-il question (début du passage) et de quoi s'agit-il (dernier paragraphe) ?

3 Lisez la biographie de l'auteure : quels liens pouvez-vous établir avec le texte ?

Exploration

1 Soulignez les prénoms féminins arabes et leur traduction française : comment les femmes étaient-elles considérées à l'époque de l'indépendance de l'Algérie et pourquoi ?

....

2 Où est placée l'exclamation « Quelle ironie ! » ? Qu'indique-t-elle au lecteur ?

....

3 Dans la suite du texte, par quelles expressions sont remplacés les prénoms arabes ? Imaginez ce qui a pu se passer pour les femmes après l'Indépendance.

....

....

4 Quel mot utilise l'auteure pour dire cette situation (3e phrase avant la fin du 1er paragraphe) ? Comment comprenez-vous ce mot ?

....

5 Paragraphe 3 : que découvre la narratrice « à chaque rentrée des classes » ? Commentez maintenant la dernière phrase de ce paragraphe.

....

6 Pour la narratrice, que signifie « apprendre la langue de l'autre » ? Que représente pour elle l'école ? Comment comprenez-vous ses propos ?

....

....

7 Relevez les 3 premières phrases de ce paragraphe : quels effets produisent-elles (au niveau du sens, du rythme, du style) ?

....

....

8 « cet immense rêve collectif de liberté » n'a pas permis de « forger des hommes différents » : comment expliquez-vous ce constat ? En général, quelles en sont les conséquences pour les femmes ?

....

....

La jeune fille au balcon

Leïla Sebbar

(Aflou, Algérie, 1941)

Elle est née d'un père algérien et d'une mère française. Tous deux sont instituteurs. Elle arrive en France à 18 ans et étudie la langue et la littérature françaises. C'est une auteure très connue, qui s'adresse à un large public et dont les nombreux écrits abordent des genres divers (romans, nouvelles, récits, essais) et des thèmes variés comme la jeunesse des enfants d'immigrés : *Shérazade : 17 ans brune frisée les yeux verts* (1982), les silences du passé et de l'histoire, *La Seine était rouge* (1999), *Je ne parle pas la langue de mon père* (2003), *Mes Algéries en France, Carnet de voyage* (2004), l'immigration : *Le silence des rives* (1993), les horreurs perpétrées pendant la guerre civile algérienne (dans les années 1990) : *La jeune fille au balcon* (1996) ou la relation entre les deux rives de la Méditerranée, la langue et l'exil : *Lettres parisiennes* (correspondance avec Nancy Huston, 1986).

Son écriture, à la fois simple et poétique, se déploie au plus près de la réalité, traque les évidences, déconstruit les stéréotypes pour dévoiler la complexité du monde social et des relations humaines.

À Alger, dans les années 1990, dans l'appartement de la mère de Mélissa, « la jeune fille au balcon ».

Une fois par mois, si le travail de couture laisse un peu de temps, les voisines se rencontrent autour d'un casque de coiffeur. Les islamistes ont interdit les salons de coiffure pour femmes, il a fallu les fermer. Une amie coiffeuse a transféré ses casques dans son appartement et les a distribués. Elle va chez les unes, chez les autres, on vient dans son salon privé à domicile, c'est ainsi qu'elle est encore coiffeuse et qu'elle nourrit la famille. Coupe, couleur, permanente… les femmes n'ont pas renoncé à être des femmes. Les cosmétiques, interdits. Le maquillage, interdit… Les cheveux doivent être longs, les visages blêmes, les peaux boutonneuses… La fête, interdite… Plus de musique, ni de bijoux aux mariages… Une femme raconte que des musiciennes ont été chassées d'une maison où elles avaient été invitées pour la noce de deux sœurs jumelles qui se mariaient le même jour :

– Chassées, comme des voleuses… Et ma tante, une musicienne qui a fait le maquis avec d'autres musiciennes, qu'est-ce qu'elle aurait dit ? Au maquis, pendant la guerre on n'a pas dit non aux musiciennes, deux sont mortes pour le pays… Et aujourd'hui ils chassent les artistes comme si c'étaient des femmes de mauvaise vie…

Celles qui ne sont pas immobilisées sous le casque ou par la Singer dansent sur le tapis du salon. Elles apprennent les gestes aux petites filles, la danse orientale avec le foulard sur les reins, les danses algériennes, algéroises, kabyles…

– Attention, crie une femme, un commando de 404 bâchées…*

Les femmes cessent de danser, se penchent aux fenêtres. Des militantes islamistes entrent dans l'immeuble. Elles viennent faire la quête dans les familles pour les pères, les frères et les fils enfermés en prison, envoyés dans les camps disciplinaires ou engagés au maquis. Elles distribuent des tracts et des conseils, elles sont persuasives et patientes. Rien ne les arrête dans leur mission. Elles font du porte-à-porte à plusieurs. Elles prêchent, mais elles sont aussi habiles à consoler, elles aident les femmes et les familles démunies…

**404 bâchées* : les Algériens appellent ainsi les sœurs musulmanes couvertes de la tête aux pieds comme les fourgonnettes Peugeot 404 avec bâche.

Leïla Sebbar, *La jeune fille au balcon*, nouvelles, © Éditions du Seuil, 1996.

Pour mieux comprendre

La couture : le fait de coudre des vêtements avec ou sans une machine à coudre (**Singer**).

Un casque de coiffeur : un objet placé au-dessus de la tête pour sécher les cheveux.

Un islamiste : un intégriste religieux musulman.

Renoncer à : ne plus avoir de désir.

Blême : pâle, blanc, terne et sans couleur ; qui est désagréable à voir.

Boutonneux(se) : qui a beaucoup de boutons sur la peau.

Chassées, v. *chasser* à la voix passive : mettre dehors avec violence.

Le maquis : un endroit isolé dans la campagne où se cachent les combattants. Le premier emploi renvoie à la guerre d'Algérie (1954-1962), le second à la guerre civile (les années 1990).

Faire la quête : demander de l'argent.

Persuasif(ve) : qui arrive à convaincre.

Prêcher : tenir un discours religieux moralisateur.

Démuni(e) : qui n'a plus rien.

ACTIVITÉS

Découverte

1 Lisez le chapeau (les informations au-dessus du texte) et dites à quelle époque et dans quel lieu se déroule l'action.

2 Que vous inspire le titre de ce recueil de nouvelles ?

3 Lisez la première phrase du texte. De quelles personnes parle-t-on ? Quelle est leur activité quotidienne ? Que font-elles quand elles en ont le temps ?

Exploration

1 Lisez le texte. Où les femmes se rencontrent-elles exactement ? Pour quelle raison ? Qui a décidé cela (deuxième phrase) ? Que connaissez-vous de ces personnes ?

....

....

2 Premier paragraphe : repérez le mot répété et son entourage : que combattent les islamistes ?

....

....

3 Dans la suite du texte, repérez le nom « artistes » : à qui sont-ils comparés ? Qui ce nom désigne-t-il dans le texte ? Quelle image des artistes est donnée ici ? Qu'en pensez-vous ?

....

....

4 Paragraphes 1-2-3 : quelle attitude les femmes adoptent-elles face aux islamistes ? Qu'en pensez-vous ?

....

....

5 Qui est désigné sous le nom de « 404 bâchées » ? Qui est comparé à quoi ? Que pensez-vous de cette image ? Retrouvez dans le 5e paragraphe un autre nom qui désigne ces personnes.

....

....

6 Dans quel lieu se rendent les « 404 bâchées » ? Quelles sont leurs activités ? Quelles compétences développent-elles (Aidez-vous des adjectifs.) ? À quelle catégorie sociale s'intéressent-elles ? Quel est leur objectif ?

....

....

7 Dans un même pays, Leïla Sebbar oppose deux visions du monde, deux genres de vie, deux types d'hommes et de femmes : quel message veut-elle nous transmettre ?

....

....

La joueuse de go

En Chine (Mandchourie), dans les années 1930. La narratrice et son amie Huong discutent. Elles ont 15-16 ans.

– Je suis fiancée.
– Avec qui ?
Elle me fixe longtemps :
– Le fils cadet du maire de notre bourg.
Je suis prise d'un fou rire :
– D'où sort-il, celui-là ? Tu ne m'en as jamais parlé. Pourquoi me le cachais-tu ? C'est ton amoureux, et alors ? Enfants, vous avez joué à la prune verte et au cheval de bambou. Puis, vous vous êtes revus en ville. Où étudie-t-il ? Est-il beau ? Vous allez vivre ici, j'espère. Enfin, je ne comprends pas pourquoi tu pleures. Y a-t-il un problème ?
– Je ne l'ai jamais vu. Mon père et ma belle-mère ont décidé pour moi. Je dois retourner à la campagne à la fin de juillet.
– Ne me dis pas qu'on t'impose ce mariage avec un inconnu.
Huong pleure de plus belle.
– Ce n'est pas possible. Comment acceptes-tu une bêtise pareille ? Les temps ont changé. Aujourd'hui, une jeune fille n'est plus soumise corps et âme à ses parents.
– Mon père m'a écrit… Si je refuse, il me coupera… les… vivres…
– Salopard ! Tu n'es pas un produit, une monnaie d'échange ! Tu viens d'échapper aux griffes de ta belle-mère, tu ne vas tomber à nouveau sous la coupe d'une mégère campagnarde fumant la pipe, droguée à l'opium, jalouse de ta jeunesse et de ta culture. Elle t'humiliera, t'abaissera jusqu'à ce que tu deviennes comme elle, frustrée, morose, méchante.

Shan Sa, *La joueuse de go*, Paris, © Éditions Grasset & Fasquelle, 2001.

Shan Sa
(Pékin, Chine, 1972)

Elle commence à écrire très jeune et à 12 ans obtient un prix de poésie. Après les événements de Tianan men en 1989 (contestation pacifique d'intellectuels, d'étudiants et d'ouvriers chinois contre la corruption et pour les libertés qui a été violemment réprimée), elle décide de quitter la Chine pour s'installer à Paris, où elle poursuit ses études à l'Institut catholique. Elle devient secrétaire du peintre Balthus de 1994 à 1996. Elle s'initie à la civilisation japonaise (peinture, jeu de go). Elle reçoit la bourse Goncourt du premier roman, le prix de la Vocation et le prix du Nouvel An chinois pour son premier roman écrit en français, *Porte de la Paix céleste* (1997), puis elle publie *Les Quatre vies du saule* (1999), récompensé par le prix Cazes, *Le Vent vif et le glaive rapide* (2000), *Le Miroir du calligraphe* (2002), *Impératrice* (2003). Dans *La joueuse de go* (prix Goncourt des lycéens, 2001), Shan Sa dénonce le poids des injustices sociales, les tensions entre tradition et modernité et elle décrit la quête de l'impossible amour.

Pour mieux comprendre

Le go : un jeu chinois avec des pions noirs et blancs dont le but est de gagner des territoires.
Être fiancé(e) : s'engager avant le mariage.
Fixer : regarder quelqu'un sans faire bouger les yeux.
Cadet : le fils né après le premier enfant.
Un bourg : un gros village.
Imposer : décider pour quelqu'un.
Soumis(e) : obéissant(e).
Couper les vivres (expression) : ne plus donner d'argent.
Salopard : c'est une insulte qui désigne une personne mauvaise et malhonnête.
Echapper aux griffes de quelqu'un (expression) : se libérer de quelqu'un.
Tomber sous la coupe de quelqu'un (expression) : dépendre de quelqu'un.
Une mégère : une femme méchante.
Humiliera , v. *humilier* au futur : considérer comme moins que rien, abaisser.
Frustré(e) : insatisfait(e).
Morose : triste.

ACTIVITÉS

Découverte

1. Lisez le chapeau (ce qui est au-dessus du texte) : repérez le lieu, l'époque et les personnages.
2. Observez la forme du texte : comment est-il composé ?
3. Lisez le texte. Pour vous aider, mettez N devant les répliques de la narratrice et H devant celles de Huong. C'est Huong qui parle en premier.
4. Quel événement Huong annonce-t-elle ? Quelle est la particularité de cette situation ?

Exploration

1. Quelles sont les personnes qui ont décidé pour Huong et qu'ont-elles décidé ?

   ....

2. Si elle refusait, que se passerait-il ? Qu'en pensez-vous ?

   ....

3. À l'annonce de l'événement, la narratrice a deux réactions différentes. Sur quoi portent d'abord ses questions ? À partir de quelle réplique de Huong change-t-elle d'attitude ?

   ....

4. Soulignez les premières phrases des trois dernières répliques de la narratrice : quels sont les types de phrase et le niveau de langue utilisés ? Quels sentiments sont exprimés ?

   ....

5. « Tu n'es plus (...) d'échange » : à quoi Huong est-elle comparée ? Dans quel contexte utilise-t-on ce vocabulaire ? Qu'est-ce que la narratrice veut faire comprendre à son amie ?

   ....

   ....

6. « Les temps ont changé (...) ses parents. » : rappelez-vous l'époque à laquelle se déroule cette histoire. Que signifient alors les paroles de la narratrice ?

   ....

   ....

7. Reliez les fragments suivants : « vous allez vivre ici » (les deux jeunes filles vivent dans une ville), « je dois retourner à la campagne » : quels lieux sont opposés et que symbolisent-ils ? Que va-t-il se passer pour Huong ?

   ....

   ....

8. Selon la narratrice, si Huong accepte la décision de ses parents, quel sera son destin ? Que feriez-vous à sa place ? Argumentez votre réponse.

   ....

   ....

Claudel et Kafka

Fernando Arrabal
(Melilla, Espagne, 1932)

Il grandit sous la dictature de Franco. Son père est arrêté en 1936 pendant la guerre civile espagnole qui oppose les Républicains et les partisans de Franco. Il n'a plus jamais donné signe de vie : Arrabal en fera le récit dans *Porté disparu* (2000). En 1955, il s'installe à Paris. Il a trois passions : l'écriture, les échecs et la peinture. Témoin de la destruction des libertés, de la répression policière, de la corruption des armées et de l'Église, de la misère du peuple, Arrabal réinvestit ces problématiques dans son œuvre, consacrée au théâtre. En 1959, il publie un roman sur la cruauté du franquisme : *Baal Babylone*, dont on tirera un film : *Viva la muerte*. Ses pièces sont influencées par la lucidité de Kafka, l'humour de Jarry, la violence d'Artaud. Ses personnages sont souvent déracinés, étrangers, sans âge, sans passé, sans identité véritable et sont pris dans des situations qu'ils ne maîtrisent pas : *Guernica* (1959), *La Tour de Babel* (1979). Son œuvre est fortement politique.

La scène se passe au paradis.

CLAUDEL *(en criant)*. Moi je ne suis pas coupable de l'internement de ma sœur jusqu'à sa mort, trente ans durant, dans un asile. Je voulais seulement que le ciel la prenne en pitié.

[VOIX DE CAMILLE. Tu m'as condamnée, Paul chéri, moi, ta sœur Camille, à ton ciel divin… pendant que toi tu t'emparais de la terre tout entière. Les folles hurlaient et bavaient autour de moi. J'ai été condamnée sans aucune forme de procès.]

KAFKA. Les souffrances de votre sœur me rappellent des souvenirs. On m'avait conduit à une carrière de marbre et j'ai vu les couteaux pénétrer dans mon corps.

CLAUDEL *(très nerveux)*. Nous ne sommes en train de revivre ni votre *Colonie pénitentiaire* ni votre *Procès*. Vous ne savez peut-être pas que j'ai écrit un article sur vous.

KAFKA. Vous avez également écrit sur votre sœur. Écoutez ce qu'est en train de dire Jean Amrouche à Mauriac, là, sur ce nuage qui passe.

[Il lui montre l'orchestre. Avec un doigt il nettoie son oreille pour mieux entendre la voix de J. A.

VOIX DE JEAN AMROUCHE. Claudel a exagéré l'échec de sa sœur Camille. Il était horrifié à l'idée que cette vocation artistique, doublée de folie, puisse renaître chez l'un de ses propres enfants. Il m'a dit un jour : « La nature s'était montrée si prodigue avec ma sœur ! Elle était d'une beauté éblouissante et dotée d'une intelligence, d'une énergie et d'une volonté exceptionnelles. Ses dons artistiques extraordinaires ne lui ont servi qu'à faire son malheur. »]

KAFKA. Et c'est pour ces pauvres artistes aux dons exceptionnels, mais dérangés selon vos normes, que vous avez conçu un asile d'aliénés pénitentiaire.

CLAUDEL. J'ai seulement conçu pour ma sœur beaucoup de charité et j'ai fait pour elle des milliers de prières.

KAFKA. La porte de l'asile s'est refermée sur elle comme une tombe.

CLAUDEL. Je me suis battu pour l'empêcher de nuire à la vie d'autrui ou à la sienne propre en se suicidant.

KAFKA. Vous l'avez vouée au secret, aux ténèbres. Elle vous faisait trop d'ombre ?

CLAUDEL. J'ai tout fait pour qu'elle soit heureuse.

[VOIX DE JEAN AMROUCHE. Le dossier de Camille Claudel porte l'indication suivante : « À maintenir définitivement en traitement »… jusqu'au jour de sa mort le 19 octobre 1943. Elle avait soixante-dix-neuf ans. Le même dossier précise qu'elle était interdite de visites et de correspondances, par ordre de son tuteur, Paul Claudel, du château de Brangues.]

Fernando Arrabal, *Claudel et Kafka*, Arles, © Éditions Actes Sud, coll. *Papiers*, 2004.

Pour mieux comprendre

Paul Claudel (1868-1955) : écrivain et diplomate français.

Franz Kafka (1883-1924) : auteur tchèque de langue allemande.

Un internement : le fait d'enfermer quelqu'un dans un hôpital psychiatrique (**asile**).

Tu t'emparais, v. *s'emparer de* : prendre, conquérir.

Une carrière : un endroit où on exploite la roche (le **marbre**) et d'autres minéraux.

Jean Amrouche (1907-1962) : écrivain et journaliste français d'origine algérienne.

François Mauriac (1885-1970) : écrivain et journaliste français.

L'orchestre : la partie entre le public et la scène.

Prodigue : généreux(euse).

Nuire : faire du mal.

ACTIVITÉS

Découverte

1. Quel est le titre du livre d'où ce passage est extrait ? Que savez-vous de ces personnes ? Faites une fiche d'identité pour chacune (nom, œuvre...).
2. Regardez le texte : de quel genre littéraire s'agit-il ? Que remarquez-vous par rapport au titre ?
3. Soulignez les noms des autres personnages : faites de nouvelles fiches d'identité (aidez-vous de « Pour mieux comprendre » et d'un dictionnaire).
4. Lisez le chapeau (ce qui est écrit au-dessus du texte) : où la scène se passe-t-elle ? Qu'est-ce que cela veut dire ?
5. Lisez le texte. Repérez les personnages présents et ceux représentés par une voix. De qui/de quoi parlent-ils ?

Exploration

1. Dans les deux premières répliques de Claudel, quel renseignement les didascalies (ce qui est entre parenthèses) donnent-elles ? Selon lui, de quoi n'est-il pas coupable ?
2. Réplique de Camille : quel verbe est répété ? Dans quelle circonstance est-il utilisé ? Que s'est-il passé pour Camille ?
3. « Les folles (...) moi »/« pendant que toi tu t'emparais (...) entière » : quels univers sont évoqués ? Qui est actif ? Qui est passif ? Lorsque Camille dit « à ton ciel divin », à quelle expression de Claudel répond-elle ? À quel lieu fait-elle référence en réalité ?
4. Réplique 1 de J. Amrouche : soulignez ce qui est entre guillemets. Qui cite-t-il ? Quel portrait est-il fait de Camille (choix des adjectifs, adverbe d'intensité) ? Quel est le paradoxe de son destin ? Pourquoi, à votre avis ?
5. Réplique 2 d'Amrouche : relevez la partie entre guillemets. Qui a pris cette décision ? Retrouvez le mot qui indique le lien d'autorité sur la personne et quelles en ont été les conséquences pour Camille. Que pensez-vous de cette situation ?
6. Relisez les répliques 1 et 3 de Claudel : relevez le champ lexical dominant. Au nom de quoi a-t-il pris cette décision ? Selon vous, est-ce la seule raison ?
7. De qui Kafka prend-il la défense ? Commentez sa 3e réplique. Que condamne-t-il chez Claudel ?
8. Selon vous, si Camille avait été un homme, son frère, écrivain et diplomate, aurait-il eu la même attitude ? Développez votre réponse.

La joueuse d'échecs

Bertina Henrichs

(Francfort, 1968)

Elle vit en France depuis 1990. Elle est scénariste de documentaires et de fictions. Elle a soutenu une thèse sur les écrivains qui ont changé de langue pendant leur exil (Nancy Huston, Vassilis Alexakis).

Elle se dit amoureuse de la lumière et des couleurs des îles grecques où elle a souvent séjourné. C'est dans une de ces îles, Naxos, que se déroule l'action de son premier roman, *La joueuse d'échecs*, écrit en français.

Eleni y est femme de chambre dans un hôtel pour touristes et elle découvre la passion du jeu d'échecs qui deviendra son seul espace de liberté, au grand désespoir de sa famille et des habitants de l'île.

Eleni est femme de ménage dans un hôtel, à Naxos, une île grecque des Cyclades. Panis, son mari, vient d'apprendre sa passion pour le jeu d'échecs.

– Tu veux me tuer ? jappa-t-il en l'apercevant.

Eleni, un chiffon à la main, le regarda sans comprendre. Intérieurement elle fit l'inventaire de ses récents faits et gestes afin de découvrir lequel aurait pu être fatal à son mari.

Elle ne découvrit rien.

– Comment as-tu pu faire une chose pareille ? lui cria-t-il, tout en la secouant.

Ce furent peut-être les secousses qui provoquèrent un éclair de lucidité. « Katherina », pensa-t-elle.

– Je ne sais pas de quoi tu parles, dit-elle posément à Panis, qui avait cessé de la bousculer et la regardait droit dans les yeux, d'un air presque implorant.

– Tout Chora est au courant que tu passes ton temps à jouer aux échecs.

– Et alors ? Qu'est-ce que ça peut faire ?

– Je suis la risée du port, gémit-il.

– Je ne vois pas pourquoi, répondit Eleni assez dignement. Cela ne te concerne pas.

– Si tu te ridiculises, tu me ridiculises aussi. Je passe pour le mari d'une folle. Je suis discrédité partout. C'est comme ça. Tu le sais très bien. Il faut respecter les règles.

Eleni ne répondit pas. Il n'y avait rien à dire. La situation ne lui était pas favorable. Elle savait très bien que pour Panis, s'exposer à la moquerie était un supplice. Mais elle savait aussi que cela ne durerait qu'un temps, que les gens s'habitueraient. D'autres nouvelles plus amusantes chasseraient celle-ci.

Panis, qui, au fond, n'aimait pas se fâcher avec Eleni, mit fin au silence qui s'était installé entre eux.

– Bon. Il faut trouver une solution. Tout bien considéré, cette histoire est absurde. Si tu arrêtes immédiatement ce jeu et que tu dis que tout cela n'est que médisance, des inventions de bonnes femmes, je te pardonne.

– Jamais, s'entendit-elle dire.

Bertina Henrichs, *La joueuse d'échecs*, Paris, © Éditions Liana Levi, 2005.

Pour mieux comprendre

Japper : aboyer, pour un chien ; ici crier, parler avec colère.

Elle fit l'inventaire de ses récents faits et gestes : elle réfléchit à tout ce qu'elle a dit ou fait.

Fatal : très dur, qui peut provoquer une réaction violente.

Secouant, v. *secouer* : faire des mouvements brusques, **bousculer**.

Ce furent, v. *être* au passé simple.

La lucidité : le fait de prendre conscience, de voir clair en quelque chose.

Implorant : touchant, suppliant, qui demande pardon.

Être la risée de : être un objet de moquerie, de rire.

Gémir : pleurer, exprimer son malheur.

Discrédité : qui n'a plus de valeur, qui n'a plus de considération.

La médisance : le fait de dire du mal des autres.

ACTIVITÉS

Découverte

1. Lisez le chapeau (au-dessus du texte) : où se déroule l'action ? Quels sont les personnages en présence ? De quel milieu social s'agit-il ?

2. Observez la forme du texte : comment est-il composé ?

3. Lisez les deux premières répliques de Panis. De quelle manière s'adresse-t-il à Eleni ? Dans quel état se trouve-t-il (aidez-vous des verbes qui suivent les questions) ?

Exploration

1. Comment réagit Eleni (les paragraphes 2 et 3) ?

2. Lisez la suite du texte. Qu'est-ce que Panis reproche en fait à Eleni ? Retrouvez la phrase qui le dit clairement.

3. Dans sa première réplique, Eleni est-elle sincère ? Pourquoi ? Recherchez un prénom pour vous aider à répondre.

4. « Je suis la risée du port » : expliquez ce que dit Panis. Que répond immédiatement sa femme ? Que lui rappelle-t-elle ? Qu'en pensez-vous ?

5. Panis fait une hypothèse : laquelle ? Pour lui, qu'est-ce qui est « ridicule » ? Est-il convaincant ? Expliquez votre réponse. Relevez dans son raisonnement les « arguments » qu'il donne pour se défendre. S'agit-il de « vrais » arguments ? Pourquoi ?

6. La situation est mauvaise pour Eleni : elle connaît bien son mari. Que « sait »-elle de lui qui l'oblige à se taire (« ne répondit pas. ») ? Que sait-elle aussi des habitudes des gens ? À quoi Panis est-il sensible ?

7. Panis veut « trouver une solution » car l'« histoire est absurde » : quelle condition impose-t-il à sa femme ? Que lui enlève-t-il si elle accepte ? Qu'en pensez-vous ?

8. Qui a le dernier mot ? Pour Eleni, les « gens s'habitueraient », pour Panis, il « faut respecter les règles » : expliquez les deux points de vue et dites lequel vous défendez.

Christine Arnothy

(Budapest, Hongrie, 1934)

Elle est née d'un père austro-hongrois et d'une mère germano-polonaise. Sa famille appartenait à la haute bourgeoisie austro-hongroise. Élevée dans un milieu francophile, elle se passionne pour la langue et la littérature françaises.

Pendant la Seconde Guerre mondiale, le siège de Budapest dure deux mois. La population est affamée et des quartiers entiers sont en ruine.
Les Soviétiques prennent la ville le 13 février 1945. En 1948, la famille fuit le pays et passe la frontière à pied. Elle se retrouve d'abord dans un camp de réfugiés en Autriche, puis s'installe à Bruxelles et enfin en France.

En 1954, C. Arnothy reçoit le Grand Prix Vérité d'un quotidien français, *Le Parisien libéré*, pour *J'ai quinze ans et je ne veux pas mourir*, le journal écrit pendant le siège de Budapest, emporté cousu dans ses vêtements lors de son exil. C'est le succès mondial. Une suite autobiographique, *Il n'est pas si facile de vivre*, paraît en 1957.

Elle se marie en 1964 avec Cl. Bellanger, ancien résistant, directeur du *Parisien libéré*. Elle ne cesse de publier des romans qui la rendront célèbre : *Le cardinal prisonnier*, *Embrasser la vie*, autobiographie qui couvre 10 ans de sa vie (de 25 à 35 ans), *La saison des Américains*… ainsi que des nouvelles pour des magazines et des revues.

J'ai quinze ans et je ne veux pas mourir

En 1944-1945, Budapest est occupée par les Allemands et encerclée par l'armée soviétique : c'est le Siège. La narratrice est une jeune fille de 15 ans.

Je suis à nouveau envahie par un sentiment de solitude. Personne ne me dira au revoir, personne ne m'attendra près de la haie pour me donner un baiser d'adieu en me jurant une éternelle fidélité. Je n'ai personne avec qui je pourrais me mettre d'accord sur un code de correspondance, pas de rendez-vous espéré, même lointain.

Je me tiens debout près de l'armoire. Je ne pleure pas. L'Histoire est à ce point inhumaine qu'elle ne laisse pas la moindre échappatoire, même pas pour une larme. Maintenant, j'aimerais qu'on parte enfin. Chaque minute de plus passée entre ces murs me rend plus faible. Mes parents ne sont pas encore complètement habillés. J'attends. Avant ce voyage vers l'inconnu, je compulse mes souvenirs. J'aimerais emmener celui de quelques visages. Mais il n'y en plus un qui vive en moi, et c'est alors que je pense soudain à ces cahiers de mon journal du Siège. Je les sors rapidement de l'armoire, j'arrache les pages couvertes d'une écriture serrée, je les plie et les répartis dans mes poches.

Ma mère s'efforce d'enfiler son manteau de fourrure par-dessus plusieurs couches de robes. Elle aussi se trouve bien empêchée de remuer dans ses vêtements. Alors, un bizarre petit diable, en moi, demande à quoi tout cela peut servir. Pourquoi faut-il donc partir ? Question sournoise et malveillante. Depuis que nous avons quitté la cave, la famille est restée engloutie par la peur. À moi, on ne m'en a jamais parlé, comme pour me dérober au destin.

« C'est la dernière minute pour tenter le passage », dit doucement mon père. Ainsi met-il involontairement un terme à une discussion qui n'a, en fait, pas été entamée.

Christine Arnothy, *J'ai quinze ans et je ne veux pas mourir*,
Paris, © Librairie Arthème Fayard, 1955.

Pour mieux comprendre

Une haie : une clôture d'arbres, d'arbustes qui sert à délimiter ou protéger un jardin.

Une fidélité : qualité d'une personne qui respecte sa parole, ses engagements.

Lointain : qui est loin.

Inhumain(e) : qui n'est pas humain(e) ; injuste, dur(e), terrible.

Pas la moindre échappatoire : pas un seul moyen pour fuir, s'échapper.

Compulser : consulter, examiner.

Le siège : le fait qu'une armée s'installe près d'une ville et interdise aux habitants et aux produits de circuler.

Arracher : déchirer, enlever.

Sournois(e) : mauvais(e), méchant(e), **malveillant(e).**

La cave : un lieu qui se trouve au sous-sol d'une maison. La famille y est restée pendant le siège de Budapest.

Engloutie : la famille a été dévorée, « mangée » par la peur.

Me dérober au destin : faire en sorte que je ne vive pas ce qui risque d'arriver.

Tenter le passage : essayer de quitter le pays, de passer la frontière.

Entamée : commencée.

Découverte

1 Quel est le titre du livre d'où ce passage est extrait ? Quel est son genre littéraire ? Quelles hypothèses pouvez-vous faire sur le contenu ?

2 Dans le chapeau (ce qui est écrit en italique, avant le texte), repérez la date, le lieu, la situation.

3 Lisez le texte : repérez le pronom personnel. Qui parle ? Qui sont les personnages en présence ? Que se passe-t-il ? Quel est le temps principal utilisé ? Quel effet est ainsi produit ?

4 Paragraphe 3 : quel lieu la famille a-t-elle quitté ? Que faisait-elle dans ce lieu (aidez-vous de « Pour mieux comprendre ») ?

Exploration

1 Paragraphe 2 : retrouvez la phrase qui dit que la narratrice et sa famille ne savent pas où elles vont. Dans la biographie, recherchez où se trouve finalement la famille.

....

2 Paragraphe 1 : que ressent la narratrice ? Par quel type de phrase et par quel mot répété ce sentiment est-il développé ? Quel effet recherche l'auteure ?

....

3 « Je me tiens (...) J'attends » : retrouvez trois phrases qui indiquent l'attitude de la narratrice. Pendant le temps qui s'écoule, à quoi pense-t-elle ?

....

4 Qui dit « L'Histoire (...) larme. » ? Comment comprenez cette phrase ?

....

5 La jeune fille essaie de se souvenir des visages qu'elle a connus pour les garder en elle mais elle n'y arrive pas : pourquoi, à votre avis ? Qu'emporte-t-elle finalement avec elle ? Qu'est-ce que cela représente pour elle ?

....

6 « Je les sors (...) poches. » : repérez les quatre verbes d'action. Comment imaginez-vous les gestes de la narratrice ? Pendant ce temps, que fait sa mère ? Qu'est-il montré du destin des exilés ?

....

....

7 Dans la partie entre guillemets, expliquez la phrase du père. Comment qualifiez-vous la situation de cette famille ?

....

....

8 Répondez à la question de la narratrice : « Pourquoi faut-il partir ? »

....

....

Fadhma Aït Mansour Amrouche

(Tizi-Hibel, Algérie, 1882 – Bretagne, France, 1967)

Elle est l'une des premières femmes kabyles de sa génération à écrire en français.

Elle est née d'une union illégitime : sa mère et elle ont été rejetées par une société fermée et traditionnelle. Elle est élevée par des religieuses chrétiennes puis entre au pensionnat. À 16 ans, elle reçoit le baptême et se marie avec Belkacem-Ou-Amrouche. Sa vie est marquée par l'exil : elle passe 40 ans à Tunis où elle se sentira toujours l'étrangère, ne parlant pas l'arabe et ne fréquentant que des étrangers. Ses mémoires, *Histoire de ma vie*, publiés après sa mort, racontent sa vie de femme lettrée mais pauvre, sa difficulté de vivre en tant que chrétienne dans un environnement musulman, décrit le milieu des coépouses qui se haïssent, les enfants qui meurent faute de soins, la lutte quotidienne contre la faim, mais aussi les joies simples d'une femme courageuse et aimante.

Elle donne à ses enfants un double prénom, chrétien et arabe. Elle leur transmet les chants et poèmes kabyles qu'ils traduisent en français pour les faire connaître à un large public. Marie-Louise Taos et Jean El-Mouhoub, comme elle, deviendront des écrivains reconnus.

Histoire de ma vie

[...] Je ferme maintenant ce cahier où j'ai consigné le résumé de ma vie.

J'ai écrit en un mois. Nous sommes le 28 août, j'ai fait vite, sait-on jamais ?

Je suis vieille, fatiguée, mais j'ai gardé mon âme d'enfant, prompte à vouloir redresser les torts et à défendre les opprimés.

Je n'ai plus revu mon école, je ne sais ce qu'elle est devenue, mais, dans ma mémoire, il y a toujours l'image enchantée de ma jeunesse. Je revois toujours le chemin fleuri, les églantiers, les chèvrefeuilles et les guirlandes de clématites, la cascade aux eaux écumantes, les berges fleuries de mon ruisseau, et les tapis de boutons d'or.

En entendant, les nuits d'été, chanter les grenouilles, je revois le jardin de La Varenne-Saint-Hilaire, et ses rosiers grimpants. Je puis dire avec le poète :

« En ce jour, en ce lieu, un jour, je fus heureuse. »

J'oubliais mon jardin de Toujal, avec sa tonnelle de raisins et Fort-National à l'horizon, avec ses tuiles rouges et ses remparts blancs !

Je viens de relire cette longue histoire et je m'aperçois que j'ai omis de dire que j'étais toujours restée « la Kabyle » : jamais, malgré les quarante ans que j'ai passés en Tunisie, malgré mon instruction foncièrement française, jamais je n'ai pu me lier intimement ni avec des Français, ni avec des Arabes. Je suis restée, toujours, l'éternelle exilée, celle qui, jamais, ne s'est sentie chez elle nulle part.

Aujourd'hui, plus que jamais, j'aspire à être enfin chez moi, dans mon village, au milieu de ceux de ma race, de ceux qui ont le même langage, la même mentalité, la même âme superstitieuse et candide, affamée de liberté, d'indépendance, l'âme de Jugurtha !

À mon fils Jean, je dédie ce cahier : Pour lui, j'ai écrit cette histoire, afin qu'il sache ce que ma mère et moi avons souffert et peiné pour qu'il y ait Jean Amrouche, le poète berbère.

1er août-31 août 1946.
Maxula-Radès.

Fadhma Aït Mansour Amrouche, *Histoire de ma vie*, Paris,

Pour mieux comprendre

Consigner : écrire.
Prompte à redresser les torts : qui agit rapidement pour réparer ce qui n'est pas juste.
Les opprimés : les personnes dominées.
Les églantiers (...) d'or : noms de fleurs.
La Varenne-Saint-Hilaire : une ville de la banlieue parisienne.
Toujal/Fort-National : un village et une ville situés en Kabylie (Algérie).
Une tonnelle : une petite construction ronde sur laquelle on fait grimper des plantes.
Des remparts : un mur long et haut qui entoure un lieu pour le protéger.
Omis, v. *omettre* : oublié.
Kabyle/Berbère : les Kabyles sont des Berbères qui habitent la Kabylie, une région d'Algérie ; les Berbères sont le premier peuple d'Afrique du Nord.
Jugurtha : roi de Numidie (nom donné par les Romains à l'Afrique du Nord), qui vécut au IIe siècle avant J.-C. Symbole de la lutte des Berbères.
Foncièrement : fondamentalement.
Aspirer à : désirer, souhaiter.
Ceux de ma race : les gens de même origine que moi.
Superstitieuse : qui accorde une interprétation irrationnelle à des gestes ou des signes (porter bonheur/malheur).
Candide : simple, innocent.
Maxula-Radès : une ville de Tunisie.

ACTIVITÉS

Découverte

1. Quel est le titre du livre d'où ce texte est extrait ? De quel genre d'écrit s'agit-il ?
2. Dans quel pays se trouve Fadhma Amrouche quand elle écrit *Histoire de ma vie* ? Quel âge a-t-elle ?
3. Lisez la première phrase et le dernier paragraphe. Que vient-elle d'accomplir ? À qui dédie-t-elle son « cahier » ? Quel message veut-elle lui transmettre ?

Exploration

1. Lisez le texte. En combien de temps l'auteure a-t-elle écrit *Histoire de ma vie* ? À votre avis, pourquoi a-t-elle fait vite ?

   ....

2. Quels sont les lieux évoqués par l'auteure ? Combien de temps a-t-elle passé dans le dernier endroit cité ? Qu'est-ce qui a marqué la vie de cette femme ?

   ....

3. « Je suis vieille (…) opprimés » : repérez « mais » ; quelles images et périodes de Fadhma sont ainsi mises en opposition ? Qu'est-ce qui n'a pas changé en elle malgré le temps ?

   ....

4. Par quel verbe de perception (répété) les souvenirs sont-ils introduits ? Quel est l'effet produit par ces répétitions ?

   ....

5. « Je n'ai plus revu (…) d'or. » : de quels détails du lieu de sa jeunesse se souvient Fadhma ? Sur quoi repose la poésie de ce passage (métaphore, sonorités…) ? Que reste-t-il de cette période dans sa mémoire ? Commentez l'expression.

   ....

6. « Je viens de (…) nulle part. » : pourquoi « la Kabyle » est-elle entre guillemets ? Qu'est-ce que l'auteure n'a *jamais* pu faire et qu'est-elle est *toujours restée* ? Repérez les répétitions : qu'expriment-elles ? Finalement, à quoi est associée l'origine kabyle ?

   ....

   ....

7. Où et parmi qui désire-t-elle vivre à présent (« aujourd'hui ») ? Comment développe-t-elle cette idée dans la suite de la phrase ?

   ....

   ....

8. En évoquant « l'âme de Jugurtha » et en terminant par « Jean Amrouche, le poète berbère », dans quelle Histoire s'inscrit Fadhma Amrouche et que revendique-t-elle ?

   ....

L'enfant multiple

Andrée Chédid

(Le Caire, 1920)

Elle est née de parents libanais . Elle est mise en pension à 10 ans et elle se découvre une passion pour l'anglais et le français. À 14 ans, elle part pour l'Europe puis termine ses études dans une université américaine en Égypte. À 26 ans, elle s'installe en France, pays qu'elle ne quittera plus. Elle écrit des poèmes : *Seul, le visage, Contre-chant, Visage premier, Fêtes et lubies, Textes pour un poème, Poèmes pour un texte, Par-delà les mots...*, des nouvelles, du théâtre : *Bérénice d'Égypte, Les Nombres, Le Montreur* et des romans : *L'Autre, La Cité fertile, La Maison sans racines, Le Sommeil délivré, Le Sixième jour, Le Survivant*. Son œuvre est couronnée par de nombreux prix : prix Goncourt de la nouvelle, le Grand Prix de la Société des Gens de Lettres, le prix Louis Guilloux pour *Le Message*. En 1975, elle reçoit de l'Académie royale de langue et de littérature françaises de Belgique le Grand Prix de la littérature hors de France.

Son écriture, poétique mais aussi révoltée, est celle de la conciliation entre deux cultures, la rencontre avec l'Autre ; elle dénonce la guerre civile qui a déchiré le Liban. Son œuvre pose les problèmes de la condition humaine, des liens qui unissent l'individu et le monde.

Au Liban, en 1987. Les parents du petit Omar-Jo, Omar et Annette, sont morts à cause de l'explosion d'une voiture. Son grand-père Joseph lui parle.

Le vieux Joseph avait fait de son mieux pour que l'enfant quitte le pays.

– À ton âge, il faut visiter la Terre.

Au début, Omar-Jo ne voulait pas entendre parler de ce départ. Il se raccrochait à son aïeul, aux gens du village, hospitaliers et chaleureux. Il craignait, en changeant de lieu, d'effacer de sa mémoire le souvenir de ses parents.

– Omar et Annette ne s'effaceront jamais ; ils t'habiteront toujours. Ne reste pas enfermé ici, Omar-Jo. Tu es né avec la guerre, tu ne dois pas vivre avec la guerre. Il faut voir le monde, connaître la paix. Les racines s'exportent, tu verras. Elles ne doivent pas t'étouffer, ni te retenir.

– Grand-père, tu n'es jamais parti ?

– Je n'ai pas pu, les circonstances... Ma tête, elle, a beaucoup voyagé !

– La mienne aussi voyage.

– Ça ne doit plus te suffire, petit. Tes yeux ont besoin d'autres horizons.

– Loin de toi, je serai si seul.

– Tel que tu es, tels que nous sommes, toi et moi, nous ne serons jamais seuls. Mais tu garderas toujours au fond de toi un coin de solitude, parce que tu aimes ça ; parce que tu auras besoin de ça pour te retrouver. Tu disais parfois à tes parents : « Faites comme si je n'étais pas là », tu te souviens ?

– Qu'est-ce que je ferai, là-bas, après l'école ?

– Je te fais confiance, Omar-Jo, tu trouveras.

Andrée Chédid, *L'enfant multiple*, Paris, © Éditions Flammarion, 1989.

Pour mieux comprendre

Se raccrocher : tenir fort à quelqu'un, à quelque chose.
Un aïeul : un grand-père.
Hospitalier : qui est accueillant.
Chaleureux : qui montre de la chaleur, de la sympathie, de la gentillesse.
Craignait : v. *craindre*, avoir peur.
Les racines s'exportent : les origines, ce qui constitue une partie de l'identité d'une personne (lien familial, milieu social, culture...) peuvent être emmenées ailleurs, dans un autre pays.
Étouffer : ne plus pouvoir respirer, empêcher de vivre.
Les circonstances : ce qui se passe autour de nous.
Multiple : pluriel, plusieurs.

Découverte

1. Lisez le chapeau (ce qui est écrit au-dessus du texte) : où et quand se déroule l'action ? Que se passe-t-il à ce moment-là dans ce pays ? Faites des recherches.
2. Présentez les personnages, leur lien de parenté. Comment est formé le nom du petit garçon ? Quelle remarque faites-vous sur les prénoms des parents ?
3. Comment comprenez-vous le titre de l'œuvre d'où ce passage est extrait ? Que peut symboliser « l'enfant multiple » ?
4. Lisez le texte. Qui parle et à qui ? Quelle décision le grand-père a-t-il prise et pourquoi ?

Exploration

1. Réplique 1 : pour aider l'enfant à « quitter » le Liban, que lui dit son grand-père ? Comment jugez-vous son argument ?
2. Comment réagit d'abord (« Au début ») Omar-Jo ? Qu'est-ce qui fait peur à l'enfant ? Analysez sa « logique ». Et vous, comment réagiriez-vous à sa place ?
3. Réplique 2 du grand-père : que dit Joseph pour rassurer l'enfant ? Commentez la construction de cette phase : parallélisme, adverbes, temps des verbes…
4. « Ne reste pas enfermé ici (…) connaître la paix. » : quels types de phrases sont utilisés ? Analysez-les du point de vue de la forme (déclarative, négative…), du sens. Quels univers sont opposés ?
5. « Les racines (…) retenir. » : à quelle idée importante du texte renvoie le verbe « étouffer » ? Quel message Joseph veut-il transmettre à son petit-fils ? Que pensez-vous de ses propos ?
6. Dans la suite du texte, qu'est-ce qui fait peur à Omar-Jo dans cet avenir incertain qui l'attend ailleurs (à Paris) loin de son grand-père ?
7. Imaginez les premiers jours de cet enfant à Paris, une ville qu'il ne connaît pas.

S'exiler / passer la frontière

Les lettres chinoises

Ying Chen

(Shanghai, Chine, 1961)

Elle étudie le français à l'université de Fudan et fait de la traduction technique et commerciale à l'Institut de recherche astronautique dans sa ville natale. À 28 ans, elle s'installe à Montréal (Québec) pour pouvoir suivre des études de lettres. C'est son premier roman, *La mémoire de l'eau* (1992), consacré à sa grand-mère, qui la rend célèbre et lui permet d'entrer en littérature. Sur le modèle des *Lettres persanes* de Montesquieu, Ying Chen, avec *Les lettres chinoises* (1993), donne à voir deux attitudes face à la Chine : celle de Yuan, l'émigré, qui préfère la quitter pour un monde meilleur (le Canada) et celle de Sassa qui choisit de rester vivre dans son pays. Avec *L'Ingratitude* (1995), elle obtient le prix Québec-Paris et le prix des lectrices de la revue *Elle*. Elle publie ensuite *Immobile* (1998), *Le champ dans la mer* (2002), *Querelle d'un squelette avec son double* (2003), *Quatre mille marches* (2004) et *Le Mangeur* dont les sujets tournent autour de la réflexion sur l'exil, le temps, l'identité, la justice, les traditions et la modernité. Son écriture refuse le folklore et se veut universelle. Ying Chen parle d'elle comme « une feuille solitaire qui rêve de se replanter ailleurs ».

Yuan, un jeune Chinois d'une vingtaine d'années, écrit à Sassa, son amoureuse, restée à Shanghai.

1

Me voilà à l'aéroport de Vancouver. Il me faut prendre un avion canadien pour continuer mon trajet. En attendant l'heure du départ, je veux te redire, Sassa, ma souffrance de te quitter. Quand je suis monté dans l'avion, tu souriais. Comment peux-tu me faire cela, ma maligne ? Comment peux-tu ne pas pleurer un peu à un moment pareil ? Il est vrai que tes pleurs ne sauraient pas mieux me consoler. Mais ton sourire muet, ton sourire intelligent et moqueur m'a troublé. Il est imprimé dans ma mémoire et engendrera des douleurs qui m'accompagneront désormais sur le nouveau chemin de ma vie. Est-ce bien cela que tu voulais, hein ?

Il est inutile de te donner des explications. Tu peux tout comprendre et tout supporter sauf cela. Ainsi, tu trouves normal que j'abandonne une terre qui m'a nourri, pauvrement, pendant une vingtaine d'années, pour un autre bout du monde inconnu. Tu m'as même dit que tu apprécies en moi cette espèce d'instinct vagabond. Mais tu ne veux pas croire que c'est en quittant ce pays que j'apprends à le mieux aimer. Le mot « aimer », tu le trouveras peut-être trop fort. Pourtant, je pourrais dire que c'est aujourd'hui, bien plus qu'à d'autres moments de ma vie, que je ressens un profond besoin de reconnaître mon appartenance à mon pays. C'est important d'avoir un pays quand on voyage. Un jour, tu comprendras tout cela : quand tu présentes ton passeport à une dame aux lèvres serrées, quand tu te retrouves parmi des gens dont tu ignores jusqu'à la langue, et surtout quand on te demande tout le temps de quel pays tu viens. Pour pouvoir vivre dans un monde civilisé, il faut s'identifier, c'est cela.

Yuan,
de Vancouver

Ying Chen, *Les lettres chinoises*, Québec,

Pour mieux comprendre

Un trajet : un chemin.
Malin/maligne : qui est habile, rusé(e), d'une vive intelligence.
Sauraient : v. *savoir*, au conditionnel. Ici, au sens de pouvoir.
Consoler : calmer, réconforter quelqu'un.
Troubler : perturber, faire perdre de l'assurance à quelqu'un.
Engendrer : provoquer, produire.
Un instinct vagabond : une disposition naturelle à partir sans savoir où, à voyager.
Un profond besoin : un besoin très fort, intense.
Ignorer : ne pas savoir.
S'identifier : se trouver, se donner une identité; se faire pareil, identique; faire et penser comme l'autre.

Découverte

1. Quel est le titre de l'œuvre d'où ce passage est extrait ? À quel genre littéraire ce livre appartient-il ? Trouvez des titres de romans comportant le mot « lettres ».
2. Lisez le chapeau (ce qui est avant le texte) et présentez les personnages, la situation. Qui écrit et à qui ?
3. À votre avis, à quoi correspond le chiffre 1 ? Repérez dans la première phrase et dans la signature le nom d'une ville. Où est-elle située (Aidez-vous de la deuxième phrase) ?
4. Lisez le texte. De quoi s'agit-il ? Dans quel lieu se trouve Yuan et à quel moment précis écrit-il (premier paragraphe) ?

Exploration

1. Paragraphe 1 : retrouvez l'adverbe de temps dans la phrase 4. De quel moment se souvient Yuan ? Que s'est-il passé à ce moment-là ? Que traduisent les deux phrases suivantes ?

   ....

2. « Il est vrai (...) de ma vie » : si Sassa avait pleuré lors du départ de Yuan, cela aurait-il changé quelque chose pour lui ? Quelle image de Sassa emporte-t-il avec lui ?

   ....

3. Paragraphe 2 : entourez « Ainsi, mais, pourtant ». Yuan argumente en commençant par une conclusion (ainsi) : selon lui, qu'est-ce que Sassa « trouve » normal qu'il fasse ? Pourquoi quitte-t-il (« abandonne ») son pays ?

   ....

4. Pour quelle destination s'engage-t-il ? Comment qualifie-t-il ce lieu ? Comment jugez-vous Yuan : courageux, intrépide, « vagabond »... ? Développez votre réponse.

   ....

5. « Mais tu ne veux (...) mieux aimer » : qu'est-ce qui peut paraître contradictoire (paradoxal) dans cette phrase ? Comment comprenez-vous la position de Yuan ?

   ....

6. Quelle explication (« Pourtant ») donne Yuan à Sassa ? Relevez les situations qui illustrent ses propos : comment sont-elles présentées du point de vue de la forme ? À votre avis, pourquoi Yuan choisit-il ces exemples ?

   ....

7. Comment comprenez-vous la dernière phrase de Yuan ?

   ....

   ....

8. Sassa répond à Yuan : rédigez sa lettre.

   ....

Un jour il a fallu partir

Zineb Labidi

Elle est née en Algérie, en 1946, en pays amazigh chaoui, à la Meskiana, qui porte en mémoire le nom et la geste de Kahina, la reine berbère qui mena la résistance face aux cavaliers arabes au VIIe siècle.

Professeure de littératures francophones, elle a publié un recueil de nouvelles, *Passagères* (Éditions Marsa, 1998), un roman, *La Balade des Djinns* (Alger, Casbah Éditions, 2004), un recueil de contes traduits des langues algériennes, *Kan ya ma kan, l'Algérie des conteuses* (Constantine, Media Plus, 2006). Elle a également publié des poèmes.

Elle écrit des articles sur les littératures francophones et les femmes d'Algérie.

Suite à la guerre civile (1990-2000) opposant les islamistes au pouvoir en place, qui a fait des milliers de morts, a décimé les intellectuels, les écrivains, les artistes, les journalistes, forçant les autres à l'exil, elle quitte l'Algérie et s'installe en France.

Me voilà confrontée à la question : comment suis-je partie un jour ? Pourquoi ? Comment continuer à être ce que j'étais avant ? Comment est-ce que je continue ce que je faisais, ce pourquoi je luttais… ?

Répondre. Refaire l'histoire. Je recompose l'histoire, la mienne et celle qui m'englobe et m'agit. Un point de départ : un jour de mars 1996. Dire : « Un jour de mars 1996, je suis partie ». Aussitôt, impression que ce n'est pas tout. Cette déclaration ne suffit pas. Il faut expliquer. Justifier, peut-être. Justifier d'abord pour moi-même. Je suis partie après deux années d'hésitation, deux années de décision toujours remise au lendemain. Deux années avec une décision arrêtée la nuit et changée au matin. Deux années avec cette question : il faut peut-être partir ? Parce que je ne voulais plus jouer à un jeu truqué. Un jeu où nous étions tous otages et éléments d'un échange où nous ne comprenions rien. Nous n'étions jamais acteurs, mais toujours objets.

Je ne me rappelle pas à quel moment exactement. Je me rappelle seulement du constat. Un jour, il a fallu admettre que l'on dialoguait par nos morts. Et nous qui n'avions pas d'armes. La mort signifiait, la mort symbolisait, la mort parlait. Un jour, un autre constat : le corps des femmes devenait le lieu où s'écrivait une certaine histoire de l'exclusion et de l'horreur. Corps à contenir, à voiler et bientôt à violer. Corps où se lisait la folie de toute une société.

Je n'ai jamais compris pourquoi il fallait que je sois la reléguée, celle qui passe toujours en second et ne peut prétendre aux mêmes droits parce qu'elle est femme. Je ne l'ai jamais admis.

Zineb Labidi, *Un jour il a fallu partir*,
Paris, Algérie Littérature/Action, © MARSA Éditions, 1999.

Pour mieux comprendre

Il a fallu : v. *falloir* au passé composé (il faut).

Confronté : être face à quelque chose.

Lutter : combattre, défendre une opinion, des idées.

Recomposer : refaire.

M'englobe et m'agit : l'histoire dans laquelle je suis prise et qui m'oblige à avoir cette attitude.

Un jeu truqué : un jeu malhonnête, où les règles soit ne sont pas dites, soit ne sont pas respectées.

Un otage : une personne que l'on garde prisonnière pour obtenir ce que l'on veut.

Un constat : une réalité, une vérité.

Signifier : exprimer, avoir un sens, être le signe de quelque chose.

L'exclusion : le fait de ne pas accepter quelqu'un/quelque chose, rejeter.

Voiler : cacher.

Violer : obliger quelqu'un à avoir des rapports sexuels par la violence, contre sa volonté.

La reléguée : celle que l'on rejette, à qui l'on ne donne pas de place.

Prétendre à : demander, vouloir, revendiquer.

Admis, participe passé du v. *admettre* : accepté.

ACTIVITÉS

Découverte

1. Regardez le texte. Que remarquez-vous concernant la typographie ? Quel est l'effet produit ?
2. Repérez les pronoms personnels au début des paragraphes 1, 3 et 4. Quel genre de texte allez-vous lire ?
3. Retrouvez les dates qui apparaissent dans le texte et lisez les phrases dans lesquelles elles sont inscrites. De quoi est-il question ?
4. Reportez-vous à la biographie de l'auteure et aux références du texte (en bas, à droite). Dans quel contexte géographique et politique s'inscrit cet écrit ?
5. Lisez le texte. Que comprenez-vous ?

Exploration

1. Paragraphe 1 : sur quoi portent les interrogations ? Si vous étiez dans la situation de l'auteure, quelles questions vous poseriez-vous ?

   ....

2. De « Répondre » à « peut-être partir ? » : combien de temps a-t-il fallu à l'auteure pour prendre sa décision ? Comment recompose-t-elle « l'histoire » ?

   ....

3. Dans le même passage, analysez comment l'auteure traduit ses difficultés et ses hésitations à prendre sa décision (types de phrases, répétitions…). Quel effet produit cette manière d'écrire ?

   ....

4. Fin du paragraphe 2 : qu'est-ce qu'un « jeu truqué » et quelles en sont les conséquences pour les individus ?

   ....

5. Paragraphe 3 : quel est le premier constat ? Que signifie-t-il exactement (relevez les mots répétés et les verbes qui les accompagnent) ? Qu'est-ce qui devient impossible dans le pays de l'auteure ?

   ....

6. Quel est le second constat ? Reprenez point par point le développement de l'auteure. À votre avis, pourquoi « la folie de toute une société » porte-t-elle sa violence sur le corps des femmes ?

   ....

7. Paragraphe 4 : qu'est-ce que l'auteure n'a jamais compris ni admis ? Reliez votre réponse à la fin du paragraphe précédent. Quelle serait la vôtre dans ce contexte ?

   ....

8. « Comment continuer à être ce que j'étais avant ? » : pour vous, peut-on quitter son pays et rester le même ailleurs ? Argumentez votre réponse.

   ....

Quand on n'a que l'amour

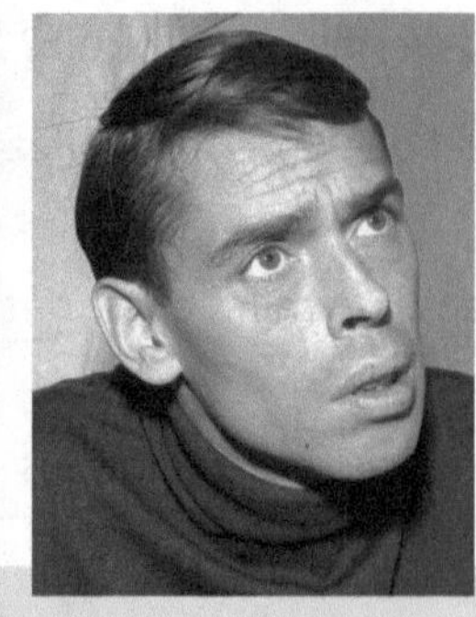

Jacques Brel

(Schaerbeek, Belgique, 1929 – Bobigny, France, 1978)

C'est un auteur, compositeur et interprète très connu pour la poésie de ses chansons et la force de son interprétation. Il a d'abord travaillé dans la cartonnerie familiale mais, très vite, il choisit la chanson. À partir de 1952, il compose ses premiers textes qu'il chante dans les cabarets de Bruxelles. À 24 ans, il se rend à Paris : il est appelé par Jacques Canetti qui cherche de jeunes talents pour la maison de disques Philips. En 1955, il rencontre G. Brassens et sort son premier disque. Dès 1957, c'est enfin le succès : *Quand on n'a que l'amour, Heureux pardons, Je ne sais pas, Au printemps, La valse à mille temps, Ne me quitte pas*... titres qui font partie du patrimoine de la chanson francophone. Il écrit aussi des textes anticonformistes : *Les Bourgeois, Les Bigotes*. Il arrête la chanson pour se consacrer au cinéma : *Les risques du métier* (1967), à la comédie musicale : *L'Homme de la Mancha* (interprétant le rôle de Don Quichotte).

En 1977, malgré la maladie, il enregistre son dernier album, *Les Marquises*. Il repose au cimetière des îles Marquises, à côté du peintre Paul Gauguin.

Quand on n'a que l'amour
À s'offrir en partage
Au jour du grand voyage
Qu'est notre grand amour
Quand on n'a que l'amour
Mon amour toi et moi
Pour qu'éclatent de joie
Chaque heure et chaque jour
Quand on n'a que l'amour
Pour vivre nos promesses
Sans nulle autre richesse
Que d'y croire toujours
Quand on n'a que l'amour
Pour meubler de merveilles
Et couvrir de soleil
La laideur des faubourgs
Quand on n'a que l'amour
Pour unique raison
Pour unique chanson
Et unique secours
Quand on n'a que l'amour
Pour habiller matin
Pauvres et malandrins
De manteaux de velours
Quand on n'a que l'amour
À offrir en prière
Pour les maux de la terre
En simple troubadour
Quand on n'a que l'amour
À offrir à ceux-là
Dont l'unique combat
Est de chercher le jour
Quand on n'a que l'amour
Pour tracer un chemin
Et forcer le destin
À chaque carrefour
Quand on n'a que l'amour
Pour parler aux canons
Et rien qu'une chanson
Pour convaincre un tambour

Alors sans avoir rien
Que la force d'aimer
Nous aurons dans nos mains
Amis le monde entier

Jacques Brel, *Quand on n'a que l'amour*, Paris, © Éditions Caravelle, Barclay, 1961.

Pour mieux comprendre

Ne (...) que : une négation restrictive qui peut être remplacée par « seulement ».
Éclater : manifester, montrer brusquement.
Meubler : 1) mettre des meubles ; 2) remplir.
La laideur : ce qui n'est pas beau.
Un faubourg : un quartier à côté d'une ville.
Un malandrin : un voleur.
Un mal/des maux : ce qui provoque la douleur, le malheur ; ce qui est mauvais.
Un troubadour : au Moyen-Âge, c'est un poète qui chante ses textes.
Le destin : le hasard, ce qui doit arriver, l'existence, la vie.
Un carrefour : un lieu où se croisent plusieurs routes.
Un canon : à la guerre, une pièce qui sert à bombarder.
Un tambour : un instrument de musique sur lequel on frappe.

Découverte

1. Observez la forme et la ponctuation du texte : de quel genre peut-il s'agir ?
2. Qui est l'auteur de ce texte ? Qu'a-t-il écrit en général (aidez-vous de la biographie) ? Vérifiez vos hypothèses émises à la question 1.
3. Repérez le titre : combien de fois est-il répété dans le texte ? Quel est l'effet recherché ?
4. Soulignez les mots en fin de vers. Comment sont organisées les rimes ?
5. Lisez le texte. Que comprenez-vous ? Numérotez les vers.

Exploration

1. Retrouvez les vers où le poète parle de l'amour partagé (verbes, déterminants possessifs…). Pour le poète, qu'apporte l'amour ?

   ....

2. Vers 13 à 16 et 21 à 24 : quels mots/quels univers s'opposent ? Quelles sont les métaphores et que signifient-elles ? Ici, quelle est la force de l'amour ?

   ....

3. Qu'est-ce qui fait la musicalité (assonance, allitération, rimes, rythme) de ces vers ?

   ....

4. Vers 18 à 20 : dans quelles circonstances emploie-t-on les trois noms ? Quel est l'adjectif répété et qu'exprime-t-il ? Que représente l'amour ?

   ....

5. Vers 25 à 32 : de quelle manière le poète veut-il « offrir » son amour, à qui et pour quoi faire ? Commentez le vers 28. Qui peuvent être ces personnes « Dont l'unique combat/Est de chercher le jour » ?

   ....

6. Vers 33 à 36 : quelle est la force de l'amour face à ce qui doit arriver, face au « destin » ? Qu'est-ce que le poète n'accepte pas ? Que revendique-t-il ?

   ....

7. Vers 37 à 40 : à quel domaine renvoie l'image du « canon » ? Que lui oppose le poète ? Quelle arme utilise-t-il face à la violence ? Qu'en pensez-vous ?

   ....

8. Dans la chute (fin) du texte, reformulez le message que nous transmet Jacques Brel. À votre tour, composez un poème en commençant par « Quand on n'a que… ».

   ....

   ....

Spleen

Léopold Sedar Senghor

(Joal, Sénégal, 1906 – Verson, France, 2001)

Il est né dans une ville côtière du Sénégal, au sein d'une famille très aisée. Il intègre l'École Normale Supérieure à Paris. Premier Africain à obtenir l'agrégation de grammaire (1933), il deviendra professeur de lettres.

Pendant ses études, il rencontre d'autres étudiants africains et antillais (Aimé Césaire) et, avec eux, il fondera le concept de négritude.

Durant la Seconde Guerre mondiale, il est fait prisonnier (1940-1942) puis entre dans la Résistance. Son premier recueil de poésies, *Chants d'ombre*, est publié en 1945, suivi d'*Hosties noires* et de l'*Anthologie de la nouvelle poésie nègre et malgache de langue française* (1948), avec une préface de Jean-Paul Sartre : *L'Orphée noir*.

Premier Président de la République du Sénégal (1960-1980), il continuera à publier poésies et essais.

En 1983, il est élu à l'Académie française.

Son œuvre se confond avec l'Afrique, dont il chante l'histoire et la civilisation.

Je veux assoupir ton cafard, mon amour,
Et l'endormir,
Te murmurer ce vieil air de blues
Pour l'endormir.

C'est un blues mélancolique,
Un blues nostalgique,
Un blues indolent
Et lent.

Ce sont les regards des vierges couleur d'ailleurs,
L'indolence dolente des crépuscules.
C'est la savane pleurant au clair de lune,
Je dis le long solo d'une longue mélopée.

C'est un blues mélancolique,
Un blues nostalgique,
Un blues indolent
Et lent.

Léopold Sedar Senghor, *Poèmes perdus* (1990) in *Œuvre poétique*, Paris, © Éditions du Seuil, 1964, 1973, 1979, 1983 et 1990.

Pour mieux comprendre

Spleen (mot anglais) : la mélancolie, l'ennui, le **cafard** (voir Baudelaire, *Spleen et idéal*).

Assoupir : affaiblir, calmer, endormir.

Murmurer : parler à voix basse.

Le blues : 1) une musique, une chanson de jazz sur un rythme lent 2) la mélancolie, le **cafard**, le **spleen**.

Mélancolique : qui est triste, pessimiste, sombre.

Nostalgique : qui est triste, qui regrette ce qui est perdu.

Indolent : qui ne souffre pas, insensible. Contraire : **dolent(e)** : qui souffre, qui est malheureux (se).

Une vierge : une jeune fille ; une fille qui n'a jamais eu de relations sexuelles.

Le crépuscule : le coucher du soleil.

La savane : en Afrique, un vaste espace d'herbe fréquenté par les animaux sauvages.

Un solo : un morceau joué ou chanté par un seul interprète.

Une mélopée : un chant, une mélodie.

ACTIVITÉS

Découverte

1. Regardez le texte : comment est-il composé ? Quel genre d'écrit vous est proposé ?
2. Repérez le titre : que signifie-t-il (regardez « Pour mieux comprendre ») ?
3. Charles Baudelaire (1821-1867) a écrit *Spleen et idéal*. Faites des recherches sur cet auteur et dites dans quelle continuité poétique se situe Senghor.
4. Lisez le texte. Quelles sont vos impressions ? Qu'avez-vous remarqué ? Numérotez chaque vers.

Exploration

1. Strophe 1 : à qui s'adresse « je » ? Où ce groupe de mots est-il placé ? Quel est l'effet recherché ?
2. Soulignez les verbes. Que veut faire « je » et pourquoi ? Que fait-il exactement (vers 3) ?
3. Observez cette strophe puis lisez-la à haute voix : sur quoi repose sa musicalité ? Sur quel rythme l'avez-vous lue ?
4. Deux strophes se répètent. En général, dans quel genre de texte retrouve-t-on ce procédé ? Qu'est-ce que Senghor a voulu faire ?
5. Observez ces strophes puis soulignez les rimes : que remarquez-vous ? Sur quelles différences de sens jouent les trois premiers adjectifs ? Comment comprenez-vous le vers 7 ? Sur quoi repose la musicalité de ces strophes ?
6. Strophe 3 : où Senghor emmène-t-il le lecteur ? Comment comprenez-vous la personnification/ métaphore du vers 11 ? Sur quel jeu et quelle opposition est construit le vers 10 ? Quelle interprétation en faites-vous ?
7. Soulignez les mots à la fin de chaque vers : que constatez-vous ? Retrouvez les assonances et les allitérations, les mots qui se ressemblent : quels sont les effets produits ?
8. À vous maintenant : écrivez « un blues mélancolique, nostalgique, indolent et lent » à votre bien aimé(e).

Seul et seule

Gaston Miron

(Sainte-Agathe-des-Monts, Québec [Canada] – 1928, Montréal, 1996)

Figure du défenseur de la langue française, Miron a eu une passion : la poésie et une préoccupation : l'affirmation de l'identité québécoise. Fils de menuisier-charpentier, il pratique de nombreux métiers (instituteur, barman, secrétaire...) pour pouvoir vivre. En 1953, il fonde avec d'autres intellectuels les éditions de *L'Hexagone*, dont il est le principal animateur, et qui deviendront la grande maison de la poésie québécoise : son projet est d'inventer une parole québécoise. Il veut agir par la poésie et militer pour la reconnaissance d'un pays, d'une culture et d'une langue. Il publie un premier recueil, *Deux sangs* en 1953. Socialiste et indépendantiste, il sera emprisonné au moment de la grave crise d'octobre 1970, quand le Front de libération populaire passe à l'action.

Il a longtemps refusé de publier ses poèmes, finalement réunis dans un seul recueil sans cesse remanié, *L'Homme rapaillé* (1970, prix de la revue *Études françaises* de l'université de Montréal), qui confirme son statut de poète québécois. Il y exprime avec force l'impossibilité de vivre, la quête permanente du mot juste, la lutte contre le sentiment de dépossession.

Si tant que dure l'amour
j'ai eu noir
j'ai eu froid
tellement souvent
tellement longtemps
si tant que femme s'en va
il fait encore
encore plus noir
encore plus froid
tellement toujours
toujours tellement

Gaston Miron, *L'Homme rapaillé*, Montréal,

Pour mieux comprendre

Si tant que : autant que...
Avoir noir (expression du Québec) : être très triste, malheureux, avoir le cafard. En français hexagonal : broyer du noir, voir tout en noir.
L'homme rapaillé : l'homme rassemblé.

ACTIVITÉS

Découverte

1 Observez le texte. À quel genre littéraire peut-il appartenir ? Dites pourquoi.

2 Repérez le titre de ce texte. Comment est-il composé ? Comment l'interprétez-vous ?

3 Lisez le texte. Quelles sont vos premières impressions ? Reformulez avec vos mots ce que vous avez compris.

Exploration

1 Encadrez les deux vers les plus longs. Qu'est-ce que le poète met en parallèle et oppose ? Quel malheur évoque-t-il ?

....

2 Soulignez tous les mots et groupes de mots répétés. Que constatez-vous ?

....

3 « Si tant que dure l'amour.../ j'ai eu froid » : que ressent le poète ? Comment comprenez-vous ce qu'il éprouve ?

....

4 « si tant que femme s'en va.../ encore plus froid » : que ressent le poète ? Retrouvez les groupes de mots répétés qui n'apparaissent pas dans la première partie. Qu'expriment-ils ? Finalement, dans les deux situations, qu'est-ce qui ne change pas pour le poète ?

....

....

5 Quelle différence faites-vous entre l'expression québécoise : « avoir noir » et les expressions hexagonales : « broyer du noir »/« voir tout en noir » ?

....

....

6 Relisez le texte à haute voix. Qu'est-ce qui fait la dimension poétique de cet écrit ?

....

....

7 Quel est le titre de l'œuvre d'où ce texte est extrait ? Reportez-vous à « Pour mieux comprendre » et dites ce qu'il signifie. Quels liens faites-vous entre ce titre et le poème ?

....

....

8 À votre tour, écrivez un court poème sur l'amour et la séparation.

....

....

Les nuits de Strasbourg

Assia Djebar

([Fatima-Zohra Imalayène], Cherchell, Algérie, 1936)

Son père est instituteur. Elle intègre l'École Normale Supérieure de Sèvres. Journaliste, cinéaste (*La nouba des femmes du Mont Chénoua*, prix de la Critique internationale à Venise en 1979), elle poursuit une carrière universitaire à Alger puis aux États-Unis. Elle publie *L'amour, la fantasia* en 1985 (prix de l'Amitié Franco-Arabe), puis *Ombre sultane* (1987), *Loin de Médine* (1991), *Vaste est la prison* (1995), *Les nuits de Strasbourg, La femme sans sépulture* (2002), *La disparition de la langue française* (2003) et *Nulle part dans la maison de mon père* (2007). De nombreux prix couronnent son œuvre, dont l'International Neustadt Price (1996), le prix Marguerite Yourcenar (1999), le prix de la Paix (2000). Son écriture somptueuse, à la fois sensuelle, lyrique et précise, entre biographie et Histoire, fait entendre le murmure des femmes enfermées et le courage angoissé de celles qui conquièrent leur liberté. Dans ses livres, les soubresauts tragiques de l'histoire algérienne sont toujours présents. Elle est la première femme algérienne à être élue à l'Académie française en 2005.

Thelja (« Neige » en arabe), algérienne, se trouve à Strasbourg, en Alsace. Elle est avec son amant français. L'histoire se passe dans les années 1990.

– Je suis née avant que ne finisse la guerre... Trois ans avant !

– La guerre d'Algérie – répond-il dans son sillage. Ses mains tâtonnent, la serrent à nouveau, la lâchent. Elle reste recroquevillée en partie sur lui, pèse sur lui de tout son poids et chuchote :

– Où étais-tu alors... ? (Sa question est impérieuse.)

– La guerre chez toi ?... Je ne me trouvais ni en Alsace, ni en Algérie (il a comme une absence, il ajoute très vite, avec un accent amer qui la surprend). Ni même en France !

Elle se laisse caresser jusqu'à la taille : son torse, surgi hors des draps, reçoit un rayon de lune inopiné... Elle s'étonne :

– Tu es mon amant et tu es français !... Il y a dix ans, quand j'arrivais à Alger pour aller à l'université, une telle... intimité m'aurait paru invraisemblable !... (Elle rêve.) Tu aurais pu débarquer là-bas coopérant ou touriste, je t'aurais rencontré chez des amis, ou à un cours, ou... Je ne t'aurais pas vu vraiment ! (Elle rit, semble se trouver une excuse de mauvaise foi.) D'ailleurs, à cette époque, tu n'étais pas un homme libre !... Tu ne m'aurais pas « vue », toi non plus !

Elle a un mouvement heurté du bras. Elle se reblottit sous le drap. Machinalement, il la cherche, la serre dans une étreinte. Il rêve dans le noir comme s'il n'avait pas entendu sa dernière repartie :

– Non, se souvient-il à nouveau, je n'ai pas fait la guerre d'Algérie. Une chance, sans doute, bien que ma « classe » fût celle de 1956 ou de 1957... En 1960, je me trouvais à Munich : huit heures par jour, j'étais plongé dans les archives de la ville... Ensuite, ce fut les États-Unis : quelques mois à New York, puis presque une année à Chicago... Je cherchais,

Il s'arrête ; ses bras, encerclant l'amante, s'immobilisent.

Assia Djebar, *Les nuits de Strasbourg*, « Première nuit »,

Pour mieux comprendre

Dans son sillage : à la suite de...
Tâtonner : chercher sans voir.
Recroquevillée : qui est repliée sur elle-même ; **se blottir**.
Chuchoter : parler à voix basse.
Impérieux(se) : autoritaire.
Amer(ère) : ici, triste, douloureux.
Inopiné(e) : que l'on n'attend pas, qui arrive par surprise.
Coopérant(e) : ici, un Français envoyé en Algérie pour aider le pays à se développer.
Heurté(e) : saccadé, par à-coups ; son bras s'arrête puis se remet en mouvement.
Une étreinte : le fait de prendre quelqu'un dans ses bras et le serrer très fort.
Une repartie : une réponse rapide.
La « classe » : un groupe de personnes nées la même année.
Bien que : même si.
S'immobiliser : ne plus bouger.

ACTIVITÉS

Découverte

1. Regardez le texte : quelle est la typographie (écriture romane – droite – ou italique – penchée) ? Selon vous, que peut signifier ce choix ?

2. Comment le texte est-il organisé (repérez les passages avec et sans tirets) ? Quel genre d'écrit vous est proposé ?

3. Lisez le chapeau (au-dessus du texte) : quels sont les personnages en présence ? Quelle est leur nationalité ? Où se retrouvent-ils ? Faites des recherches historiques sur cette ville et cette région.

4. Quel est le titre du livre d'où ce passage est extrait ? Faites des hypothèses sur son contenu. Repérez ce qui est entre guillemets (« »), juste après le titre. À quoi peut correspondre le passage choisi ?

Exploration

1. Lisez le texte. Mettez « T » devant les répliques de Thelja et « A » devant celles de l'amant. Répliques 1 et 3 : que cherche à savoir Thelja ? Pourquoi est-ce important pour elle ?

   ....

2. De quelle manière répond l'homme et quels détails ajoute-t-il ? Que cherche-t-il à communiquer à Thelja ?

   ....

3. Qu'est-ce qui étonne Thelja ? Comprenez-vous son étonnement ? Que se serait-il passé dix ans auparavant pour les deux personnages ? Comment expliquez-vous cette situation ?

   ....

4. Dernière réplique de l'homme : que souligne-t-il à nouveau ? De qui et de quoi parle-t-il ? Quelles précisions apporte la phrase : « Il rêve (…) repartie : » ?

   ....

5. Relisez le texte. Repérez les ponctuations et les passages entre parenthèses. Quels rôles jouent-ils dans la narration ?

   ....

6. Pendant ces échanges, que font les deux personnages (soulignez les verbes, adjectifs, participes passés et présent) ? Comment caractériseriez-vous l'attitude de chacun ?

   ....

7. Dans ce passage, quel type de langage unit, rapproche l'Algérienne et le Français ? Que veut montrer Assia Djebar ?

   ....

8. Peut-on s'aimer malgré tout ce qui sépare (l'histoire, les codes sociaux et culturels, les classes sociales, les croyances…) ? Argumentez votre réponse.

   ....

Le retour des hirondelles

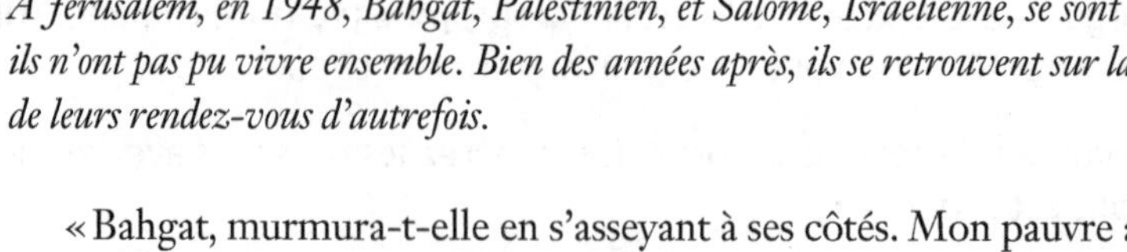

À Jérusalem, en 1948, Bahgat, Palestinien, et Salomé, Israélienne, se sont aimés mais ils n'ont pas pu vivre ensemble. Bien des années après, ils se retrouvent sur la plage, lieu de leurs rendez-vous d'autrefois.

Ibrahim Souss

(Jérusalem [al Qods], Israël [Palestine], 1943)

C'est en France qu'il a fait ses études universitaires, à l'Institut d'Études Politiques. Il est représentant de l'OLP (Organisation pour la Libération de la Palestine) à l'UNESCO (1975-1980), en France (1978-1992) puis ambassadeur au Sénégal. Parallèlement, il poursuit une carrière musicale (pianiste compositeur) et littéraire. Son œuvre prend racine dans le conflit qui déchire depuis longtemps le Moyen Orient. *Les Fleurs de l'olivier* (1985) exprime la difficulté de vivre entre Palestiniens et Israéliens. I. Souss cherche un dialogue possible entre les deux peuples : *Lettre à un ami juif* (1988), *Dialogue entre Israël et Palestine* (1993). Avec *Le Retour des hirondelles*, il évoque une histoire d'amour tragique entre un Palestinien, Bahgat, et une Israélienne, Salomé, que les conflits et la société séparent. Il a aussi publié des poèmes : *Les Rameaux de Jéricho* (1994) et d'autres romans : *Loin de Jérusalem* (1986), *Les Roses de l'ombre* (1989). Il a enseigné dans des universités au Moyen-Orient, en Suisse et aux États-Unis.

« Bahgat, murmura-t-elle en s'asseyant à ses côtés. Mon pauvre amour. »

Il se redressa, s'assit et épousseta ses épaules couvertes de sable.

« Salomé, annonça-t-il sans préambule, l'homme qui a ordonné de tirer sur mon fils s'appelle Levitzki. Je ne suis pas sûr de son prénom. Il est officier dans l'armée, affecté aux brigades spéciales qui luttent contre l'*Intifada*. Je veux savoir s'il fait partie de ta famille. »

Le visage de Salomé devint si pâle qu'il crut la voir s'évanouir.

« Schlomo ? s'étrangla Salomé, comme assommée. C'est impossible.

– Ton fils, n'est-ce pas… C'est bien ton fils. De quel corps d'armée fait-il partie ? »

Elle ne parvint pas à répondre. De grosses larmes roulaient sur ses joues. Perdant son calme, Bahgat la saisit par le revers de son chemisier et la secoua violemment. Le tissu craqua au bas du dos et l'une de ses épaules se dénuda. Bahgat lâcha prise, la gorge serrée. Jamais auparavant il n'avait levé la main sur une femme.

« Pardonne-moi. Je ne sais plus ce que je fais. Réponds-moi, je t'en supplie. Dans quel corps d'armée sert ton fils ?

– Golani », fit Salomé d'une voix à peine perceptible.

Bahgat se leva comme un automate.

« Je suis désolé, lança-t-il. Je ne peux pas le laisser vivre. Je ne peux pas. »

Elle éclata en sanglots tandis qu'il s'éloignait, les épaules voûtées, vers la rue. Ses pas soulevaient derrière lui un véritable écran de sable. Salomé ravala ses larmes dans un effort surhumain et le rappela, avant qu'il ne disparaisse :

– « Bahgat ! Tu ne sais pas tout. Tu dois savoir.

– Je ne vois pas ce que je pourrais savoir de plus, cria-t-il sans se rapprocher.

– Schlomo est ton fils, Bahgat. »

Elle parla d'une traite, toujours assise sur le sable, tandis que Bahgat restait pétrifié. Elle raconta, en criant presque, la naissance de Schlomo, la supercherie de son mariage avec Shimon. N'importe quel passant aurait pu entendre son récit. Mais elle s'en moquait, et Bahgat plus encore. Le vent portait sa voix le long de la plage, couvrant le ressac. L'écho s'en perdit dans les vagues.

Ibrahim Souss, *Le retour des hirondelles*, Paris, © Éditions Belfond, 1997.

Pour mieux comprendre

Murmurer : parler doucement.

Épousseter : enlever la poussière sur les vêtements.

Sans préambule : parler sans prévenir.

L'Intifada (mot arabe) : la lutte menée avec des pierres par les Palestiniens contre les Israéliens.

Devint, v. *devenir* au passé simple.

Parvint, v. *parvenir* au passé simple : arriver.

Se dénuder : l'épaule est nue, elle n'est plus recouverte par le chemisier.

Lâcher prise : ici, retirer, enlever la main.

À peine perceptible : une voix que l'on n'entend pas très bien.

Un automate : une machine, un robot.

Éclater en sanglots : pleurer fort et brusquement.

Parler d'une traite : parler sans s'arrêter.

Pétrifié : qui ne bouge plus.

Une supercherie : un mensonge.

Le ressac : le mouvement violent des vagues de la mer.

ACTIVITÉS

Découverte

1. À quoi vous fait penser le titre du livre d'où ce passage est extrait ?
2. Lisez le chapeau (ce qui est écrit avant le texte, en italique) : où et quand se passe l'histoire ? À quoi correspond la date ? Que savez-vous de la situation de cette région ?
3. Présentez les personnages et leur situation. À quel endroit se retrouvent-ils et pourquoi ? Faites des hypothèses sur les raisons de ce rendez-vous.
4. Lisez le texte. Qu'avez-vous compris ? Devant les dialogues commençant par des guillemets (« ») et un tiret, mettez « S » pour Salomé et « B » pour Bahgat.

Exploration

1. De qui/de quoi parle Bahgat dans sa première réplique ? Qui est cette personne et qu'a-t-elle fait ? Que demande Bahgat à Salomé et pourquoi à votre avis ?

   ....

2. Relevez les mots et expressions qui décrivent les réactions de Salomé. À qui pense-t-elle immédiatement ?

   ....

3. « Elle ne parvint (…) une femme. » : à la question de Bahgat, comment réagit à nouveau Salomé ? Pour elle, qu'est-ce qui est « impossible » et pourquoi ? Quels sont les gestes de Bahgat et pourquoi ? Comment jugez-vous son comportement ?

   ....

4. Que veut dire Bahgat dans sa réplique 4 ? En fait, quel genre de « justice » veut-il ? Qu'en pensez-vous ?

   ....

5. Dernier paragraphe : pourquoi Bahgat ne bouge-t-il plus (« restait pétrifié ») ? Que lui raconte ensuite Salomé ? Qu'espère-t-elle ?

   ....

6. Qu'est-ce qui, pour une fois, ne compte plus pour eux et qui les a empêchés de s'aimer ?

   ....

7. Analysez le style des deux dernières phrases (champ lexical, sonorités…) et dites ce qui fait leur poésie.

   ....

8. Dans la suite du roman, on lit « Sans le savoir, il [Bahgat] avait mis au monde les deux facettes d'une lutte fratricide… » : quelle est la portée symbolique du drame qui s'est joué entre les personnages ?

   ....

   ....

Injustices

La grande maison

Mohamed Dib

(Tlemcen, Algérie, 1920 – La Celle-Saint-Cloud, France, 2003)

Il est considéré comme l'un des plus grands écrivains algériens de langue française, mais sa discrétion, son élégance, l'ont tenu éloigné de la scène littéraire médiatique. Il a exercé différents métiers : instituteur, comptable, traducteur, journaliste. En 1959, les autorités coloniales françaises l'expulsent d'Algérie à cause de ses activités militantes. Il s'installe alors en France. Son œuvre aborde tous les genres : roman (*Un été africain*, 1959, *Comme un bruit d'abeilles*, 2001), poésie (*Omneros*, 1975, *L'Enfant-Jazz* 1998), théâtre, conte, nouvelle, essai. La trilogie, *La Grande maison, L'Incendie* (1954), *Le Métier à tisser* (1957), est consacrée à l'enfance et à l'adolescence d'Omar qui lutte pour se nourrir, pour survivre et décrit la misère d'une partie du peuple algérien, son cheminement vers une prise de conscience de l'injustice de sa condition et ses essais de fraternité. En 1967, M. Dib reçoit le prix de l'Union des écrivains algériens, en 1994, le Grand Prix de la Francophonie, décerné par L'Académie Française, en 1995, le Grand Prix du roman de la Ville de Paris.

En Algérie, dans les années 1930. Aïni, la mère du jeune Omar, et d'autres locataires, habitent Dar-Sbitar, une grande maison où tous sont pauvres. L'histoire est racontée par Omar.

Aïni déclarait souvent :

– Nous sommes des pauvres.

Les autres locataires l'affirmaient aussi.

Mais pourquoi sommes-nous pauvres ? Jamais sa mère, ni les autres, ne donnaient de réponse. Pourtant c'est ce qu'il fallait savoir. Parfois les uns et les autres décidaient : C'est notre destin. Ou bien : Dieu sait. Mais est-ce une explication, cela ? Omar ne comprenait pas qu'on s'en tînt à de telles raisons. Non, une explication comme celle-là n'éclairait rien. Les grandes personnes connaissaient-elles la vraie réponse ? Voulaient-elles la tenir cachée ? N'était-elle pas bonne à dire ? Les hommes et les femmes avaient beaucoup de choses à cacher ; Omar, qui considérait cette attitude comme de la puérilité, connaissait tous leurs secrets.

Ils avaient peur. Alors ils tenaient leur langue. Mais de quoi avaient-ils peur ?

Il en connaissait, des gens comme sa famille, leurs voisins et tous ceux qui remplissaient Dar-Sbitar, des maisons comme celle-là et des quartiers comme le sien : tous ces pauvres rassemblés ! Combien ils étaient nombreux !

– Nous sommes nombreux ; personne qui sache compter suffisamment pour dire notre nombre.

Une émotion curieuse le pénétra à cette pensée.

Il y a aussi les riches ; ceux-là peuvent manger. Entre eux et nous passe une frontière, haute et large comme un rempart.

Ses idées se bousculaient, confuses, nouvelles, avant de se perdre en grand désordre. Et personne ne se révolte. Pourquoi ? C'est incompréhensible. Quoi de plus simple pourtant ! Les grandes personnes ne comprennent-elles donc rien ? Pourtant c'est simple ! simple !

Mohammed Dib, *La grande maison*, Paris, © Éditions du Seuil, 1952, coll. Points 1996.

Pour mieux comprendre

Un destin : ce qui doit arriver, la fatalité.
S'en tînt, v. *s'en tenir à*, imparfait du subjonctif : se contenter de, se satisfaire de.
Éclairait, v. *éclairer*, imparfait : rendre clair, expliquer.
La puérilité : qui n'est pas sérieux, le fait de se comporter comme un enfant.
Un secret : ce qui ne doit pas être dit.
Tenir sa langue : ne rien dire.
Un rempart : un mur très haut qui sépare les gens.
Se bousculer : arriver en désordre.
Confus(e) : désordonné(e), qui n'est pas clair(e).
Se révolter : refuser avec force une situation.

ACTIVITÉS

Découverte

1. Quel est le titre du roman d'où ce passage est extrait ? À quoi vous fait-il penser ?
2. Lisez le chapeau (ce qui est au-dessus du texte) : où et quand se passe l'histoire ? Présentez les personnages. Où et comment vivent-ils ?
3. Que savez-vous de l'Algérie à cette époque-là ?
4. Lisez le texte : à quelle personne est-il écrit ? De quel point de vue l'histoire est-elle racontée ?

Exploration

1. Lisez les deux parties qui commencent par un tiret : quel constat est fait ? Comment ce constat est-il développé ?

   ....

2. Soulignez la première question. Qui est « nous » (aidez-vous de la phrase suivante.) ? Quelle réponse donnent parfois les « uns et les autres » ? Qu'en pensez-vous ?

   ....

   ....

3. Quel mot du texte est le contraire de « pauvres » ? Expliquez la phrase « Entre eux (...) rempart ». Qu'est-ce qui sépare les deux catégories ?

   ....

   ....

4. Analysez le jugement d'Omar face à ce que disent les grandes personnes. Comment considère-t-il leur attitude ? Selon lui, pourquoi les adultes ne disent rien (« tenaient leur langue ») ? Comment expliquez-vous cette attitude ?

   ....

   ....

5. L'auteur emploie l'imparfait et le présent : à quel moment et pourquoi (la durée, l'opinion, le commentaire, l'habitude...) ? Que veut-il montrer ?

   ....

   ....

6. « Et personne (...) simple ! » : quelle est la réaction des gens de Dar-Sbitar face à leur vie ? Et quelle est celle d'Omar face à cette réalité ? Commentez ces points de vue.

   ....

   ....

7. À votre avis, pourquoi M. Dib a-t-il choisi de raconter l'histoire du peuple algérien du point de vue d'Omar ? Aidez-vous de sa biographie et du contexte de l'époque.

   ....

Jacques-Stephen Alexis

(Gonaïves, Haïti, 1922-1961)

Il symbolise la figure du combattant pour la liberté. Il fait ses études au collège Saint-Louis de Gonzague, puis à la faculté de médecine de Port-au-Prince. J. Roumain, auteur de *Gouverneurs de la rosée* (1944) et écrivain haïtien engagé, aura une grande influence sur son œuvre, surtout dans *Compère Général Soleil* (1955) dont le succès est immédiat. Alexis y évoque le massacre en 1937 des ouvriers haïtiens qui travaillent dans des champs de canne à sucre et il dénonce les dictatures en place. Il fonde *La Ruche*, une revue militante. Membre du Parti communiste haïtien, il s'oppose à la politique de Dumarsais Estimé : il est emprisonné. À sa sortie, il passe son doctorat, s'exile à Paris, se lie d'amitié avec Aragon, les poètes de la Négritude (Senghor, Césaire...) et les écrivains latino-américains. En 1956, au congrès des écrivains et artistes noirs qui a lieu à la Sorbonne, il présente une conférence sur « le réalisme merveilleux des Haïtiens ». Pendant qu'il écrit d'autres romans : *Les arbres musiciens, L'espace d'un scintillement, Romancero aux étoiles*, il voyage en Chine, en Russie. En 1961, il est à Cuba et rentre clandestinement en Haïti pour organiser la lutte contre le dictateur François Duvalier (Papa Doc) : à son arrivée, il est arrêté, torturé puis probablement assassiné à 39 ans.

À Port-au- Prince, en Haïti, dans les années 1930, le premier ministre Jérôme Paturault donne une fête.

Vers sept heures du soir, la fête battait son plein. Sur la piste dressée dans les jardins, le bal avait commencé. Les jambes emmêlées, joue contre joue, les couples dansaient dans la fraîcheur du soir. La nuit n'était pas tombée, un jour gris flottait encore. Les gens aussi commençaient à être gris. Sans arrêt, les serveurs distribuaient les boissons, le rhum Barbancourt cinq étoiles phosphorescent dans la pénombre, le kola rose, les punchs.

Cependant, « le vulgaire » se rassemblait derrière les grilles pour regarder la fête nocturne. En voyant ces tables chargées de mets et de boissons, toutes ces robes merveilleuses, toutes ces tenues de soirée, le peuple assemblé s'énervait.

– Si c'est pas une pitié de voir tout ce que ce monde peut s'envoyer, tandis que nous on ne trouve presque plus rien à manger, disaient les femmes.

Quand sortaient les jeunes bourgeois ivres, allant chercher des coins pour vomir et se retaper un peu afin de continuer la bacchanale, des quolibets les accueillaient. La foule commençait à se faire drue, à gronder contre ces pantins en goguette.

– Bande de voleurs ! C'est l'argent du peuple qu'ils sont en train de manger !

D'autres s'exclamaient :

– C'est scandaleux ! Faire ça pendant une telle pénurie !

Certains s'excitaient, ça commençait à sentir la manifestation.

– De quel côté qu'il se cache, notre ministre ? Qu'il vienne un peu pour qu'on lui dise deux mots !...

– Nous avons faim !

– Regardez-les donc ces grands mulâtres !

Les gendarmes qui gardaient le portail décidèrent de repousser la foule. Ce fut une fuite éperdue. Mais un bon nombre de spectateurs se rassembla sur le trottoir d'en face, les autres, enhardis, les rejoignirent. Un beau chahut.

Jacques-Stephen Alexis, *Compère Général Soleil*, Paris, © Éditions Gallimard, 1955.

Pour mieux comprendre

Battre son plein : c'est le moment le plus fort de la fête.

Être gris : être **ivre**, avoir trop bu.

Rhum : une boisson alcoolisée (comme le **kola rose**, le **punch**).

Phosphorescent : ce qui est lumineux dans la nuit, dans la **pénombre**.

Nocturne : de nuit.

Des mets : des plats cuisinés.

S'envoyer (familier) : manger beaucoup.

Se retaper (familier) : se remettre en forme.

La bacchanale : une grande fête qui vient de l'Antiquité romaine.

Un quolibet : le fait de rire de quelqu'un.

Se faire drue : la foule est de plus en plus importante.

Pantins en goguette : des gens qui sont comme des jouets, qui s'amusent et sont ivres.

La pénurie : le manque de ce qui est nécessaire ; quand il n'y a rien à manger.

Un mulâtre, une mulâtresse : homme, femme de couleur né(e) d'un parent blanc et d'un parent noir.

Une fuite éperdue : une fuite rapide, sans but précis.

Enhardi(e) : qui devient courageux(se).

Un chahut : le fait de faire beaucoup de bruit.

Un compère : un camarade, un ami.

ACTIVITÉS

Découverte

1. Lisez le chapeau (ce qui est au-dessus du texte) : où et pendant quel événement se passe l'histoire ? Recherchez le lieu sur une carte de géographie.

2. À votre avis, quel genre de personnes participent à cet événement ?

3. Quel est le titre du roman d'où ce texte est extrait ? Comment le comprenez-vous (aidez-vous de « Pour mieux comprendre ») ?

4. Lisez le texte. Quelle autre classe sociale « participe » aussi à l'événement ? À quoi renvoie « le vulgaire » (2e paragraphe) et que signifie ce mot ? Retrouvez le contraire de ce mot dans le texte.

Exploration

1. Paragraphe 1 : quelle situation est présentée ? L'auteur « joue » sur les sens de l'adjectif « gris » : expliquez les emplois du mot dans les deux phrases.

   ....

2. Où se rassemble « le vulgaire » ? Que symbolise cet objet ?

   ....

3. « En voyant ces tables (...) goguette » : que voit « le vulgaire » ? Quelles sont ses réactions ?

   ....

4. Après « goguette », repérez les phrases qui commencent par un tiret : de quels genres de phrases s'agit-il ? Quels sentiments traduisent-elles ?

   ....

5. De quoi le peuple accuse-t-il « les bourgeois » ? Expliquez la phrase : « C'est scandaleux ! Faire ça pendant une telle pénurie ! ».

   ....

6. Analysez le style de la phrase « Certains s'excitaient (...) manifestation » (niveau de langue, construction de phrase...). Quelle voix l'auteur fait-il entendre ?

   ....

   ....

7. À votre avis, qui sont « ces grands mulâtres » ? À quelle classe sociale appartiennent-ils ? Quel peut être leur lien avec « le vulgaire » ? Faites des hypothèses sur la complexité de la réalité historique et sociale haïtienne.

   ....

   ....

8. Écrivez la suite immédiate de ce passage.

   ....

John et Joe

Agota Kristof
(Csikvand, Hongrie, 1935)

C'est en 1956, année de l'occupation de son pays par les troupes soviétiques, qu'elle se rend en Suisse romande pour s'y installer définitivement. Elle commence par travailler dans une usine et apprend le français. Dans les années 1970, elle écrit d'abord pour le théâtre, *L'Heure grise*, jeux de masques et interrogation autour de l'identité, mais sa véritable vocation est l'écriture romanesque. En 1986 paraît son premier roman, *Le grand cahier*, qui lui vaut le succès (prix européen de l'Association des Écrivains de Langue Française), premier volet d'une trilogie : *La preuve* (1988), *Le troisième mensonge* (1991, prix du livre Inter) dont les thèmes essentiels sont l'enfance en temps de guerre, l'exil. *Hier* paraît en 1995. *L'analphabète* (2004) est son premier roman autobiographique. Les récits d'Agota Kristof se focalisent sur l'identité. Son itinéraire est lié à l'histoire de son pays : la violence politique, la guerre, l'errance, l'apprentissage d'une langue qu'elle n'a pas choisie. En 2007, elle publie un recueil de pièces de théâtre : *Le Monstre et autres pièces.* Style sobre, phrases courtes et simples, mots justes, humour noir se mêlent pour décrire le monde et ses misères.

Sur une terrasse de café, John et Joe, deux copains, discutent.

JOE : Oui. Je me demandais comment cela se fait qu'il y ait des gens qui ont de l'argent. Beaucoup d'argent. Tout le temps. Ils en dépensent, et ils en ont quand même. Toujours. Tu y comprends quelque chose ?

JOHN : Mais, Joe, il n'y a rien à comprendre. Ils en ont, c'est tout.

JOE : Et d'autres, pourquoi ils n'en n'ont pas ?

JOHN : C'est tout simple. Ils n'en ont pas, et c'est tout.

JOE : Mais ceux qui en ont, d'où cela leur vient-il ? Il vient bien de quelque part cet argent, non ?

JOHN : Bien sûr. Ils ont probablement hérité ça de leur père.

JOE : Et à leurs pères, d'où venait-il cet argent, à leurs pères ?

JOHN : Ben, de leur père.

JOE : Mais avant qu'il y ait un père qui a de l'argent, au premier père riche, cela lui venait d'où ?

JOHN : Je n'en sais rien. Il a sûrement travaillé.

JOE : Tu n'y penses pas, John. Je connais des gens qui travaillent toute la journée. On ne peut pas travailler plus que toute la journée, n'est-ce pas ? Et ils n'ont pas d'argent, ils ont très peu d'argent. Juste de quoi manger, c'est tout.

JOHN : C'est encore heureux que tu ne te cites pas toi-même comme exemple.

JOE : Pourtant, j'ai eu travaillé aussi, John.

JOHN : Ah, oui ? Quand ?

JOE : De temps en temps. Oui. Quand j'étais jeune.

JOHN : Et tu n'as pas gagné beaucoup d'argent, Joe ?

JOE : Oh, non, John. Tu sais très bien que ce n'est pas en travaillant que l'on gagne beaucoup d'argent.

JOHN : En faisant quoi, alors ?

Agota Kristof, *John et Joe*, scène 1, in *L'Heure grise et autres pièces*, Paris, © Éditions du Seuil, 1998.

ACTIVITÉS

Découverte

1. Regardez l'extrait proposé : à quel genre littéraire appartient-il ? Justifiez votre réponse.
2. Quel est le titre de l'œuvre d'où ce passage est extrait ? Que remarquez-vous ? Comment comprenez-vous le titre du recueil général ?
3. Lisez le chapeau : quelle est la relation entre les deux personnages ? Dans quel lieu se trouvent-ils ?
4. Lisez le texte. Résumez en une phrase le sujet de la conversation. Que remarquez-vous sur les répliques des personnages (longueur des phrases, type de phrase, niveau de langue, répétition...) ?
5. Numérotez chaque réplique. Quel est le mot le plus répété ?

Exploration

1. « Oui. Je me (...) sûrement travaillé » : sur quoi s'interroge Joe ? Qu'est-ce qui le surprend ? Analysez ses réflexions en vous appuyant sur sa manière de parler (répétition, adverbes...).
2. Dans sa deuxième question, à quelle catégorie sociale Joe pense-t-il ? Quelles sont les deux premières réponses de John ? Analysez-les du point de vue du sens, des constructions grammaticales. Comment jugez-vous ces réponses ?
3. Répliques 3 et 5 : soulignez les verbes répétés. Qu'est-ce que Joe cherche à comprendre ?
4. Quelle première réponse John apporte-t-il (répliques 6 et 8) et quelle explication trouve-t-il finalement (réplique 10) ? Répond-il vraiment à la question de Joe (réplique 9) ? Argumentez votre point de vue.
5. Comment Joe déconstruit-il le point de vue de John (réplique 11) : sur quel fait s'appuie-t-il et quelle conséquence en tire-t-il ? Qu'en pensez-vous ?
6. Quelle est la situation financière et sociale de Joe d'après ses dernières répliques ? Comment explique-t-il sa situation ? Êtes-vous d'accord avec ce qu'il dit ? Dites pourquoi.
7. Écrivez une suite immédiate du texte.

Michel Tremblay
(Montréal, 1942)

Il est né dans un quartier populaire. Conteur, dramaturge, romancier, scénariste, il est l'un des auteurs les plus connus du Québec et il a reçu de nombreux prix pour son œuvre. Dès l'âge de 12 ans, il adapte un roman à la scène, écrit des poèmes. À 17 ans, il entre à l'École des Arts graphiques. En 1964, sa première pièce, *Le train*, remporte le premier prix du Concours des jeunes auteurs de Radio-Canada. À cette même époque, il rencontre André Brassard qui va devenir son metteur en scène attitré et écrit *Les Belles-sœurs* qui le rendront célèbre (prix du Gala Méritas en 1970). La pièce est jouée en 1973 à Paris et rencontre un bon accueil. Les succès se suivent avec *À toi pour toujours, ta Marie-Lou*, *Hosanna* et *Bonjour, là ! bonjour !* En 1998, *C'ta ton tour Laura Cadieux*, est porté au grand écran. Il a écrit aussi des romans à caractère intimiste : *Le Cœur découvert* (1986), suivi du *Cœur éclaté* (1993) et *Quarante-quatre minutes, quarante-quatre secondes* (1997). Son œuvre théâtrale est immense (il écrit 11 pièces entre 1965 et 1976), elle met en scène des marginaux, des gens ordinaires, le monde ouvrier. Elle est jugée réaliste à cause du parler populaire montréalais (le joual) et a profondément changé et renouvelé le genre.

Bonbons assortis au théâtre

À Montréal, dans les années 1940. Le narrateur, un petit garçon, est caché sous la table de la salle à manger. Sa mère Nana, sa tante Albertine et sa grand-mère Victoire, sont nerveuses : elles n'ont pas d'argent pour acheter un cadeau à Lise Allard, la fille de la voisine, qui va se marier.

NANA. On pourrait y acheter quequ'chose à une ou deux piasses, mais ça a pas de bon sens, on passerait pour les pauvres qu'on est ! C'est ben beau d'être pauvre, mais faut pas que ça se voye ! La pauvreté, ça se vit, pis ça se cache ! Les Allard sont pas plus riches que nous autres, mais y arrivent à le cacher pis on peut faire semblant qu'on le sait pas. Faut que ça soye pareil de notre côté. Y faut que ce cadeau-là soye trop beau pour répondre au cadeau trop beau qu'y'ont faite à Thérèse quand a's'est mariée.

ALBERTINE. Y'était pas beau pantoute.

VICTOIRE. Y'était même très laid.

NANA. C'est pas ça que je veux dire ! Vous le savez très bien ! Faites-moi pas parler ! Y'était laid, c'est vrai, mais y'avait coûté cher, c'est ça qui compte ! Mais nous autres…

VICTOIRE. Nous autres, on a vraiment pas de quoi faire semblant qu'on est riches avec ce qu'on a sur la table !

ALBERTINE. On a même pas de quoi faire semblant qu'on est pauvres, Jésus-Christ !

Nana donne une tape sur la main d'Albertine.

NANA. Sacre pas comme ça, le petit est en dessous de la table !

ALBERTINE. Si y'a le droit de renifler mes jarrets, je vois pas pourquoi y'aurait pas le droit de m'entendre sacrer !

NANA. Y renifle pas tes jarrets !

ALBERTINE. C'est quoi qui m'a frôlée, tout à l'heure, d'abord ? Un fantôme ? Un rat ? Y va finir renifleux de caneçons, c't'enfant-là, c'est moi qui vous le dis !

VICTOIRE. Bartine, commence pas, c'est pas le temps…

NANA. Où c'est que tu prends ça, ces expressions-là, pour l'amour du bon Dieu, Bartine ! Renifleux de caneçons ! C'est épouvantable ! Tu dois pas lire les mêmes livres que moi, certain !

Michel Tremblay, *Bonbons assortis au théâtre*, Acte I in Théâtre II,
© Montréal, Leméac, Arles, Actes Sud, coll. *Papiers*, 2002.

Pour mieux comprendre

Y : lui, il, ils.

Une piasse : la monnaie est la piastre, prononcée « piasse » dans les milieux populaires.

Pis : et puis.

Pantoute : « pas du tout » dans le parler populaire du Québec (le joual).

Laid : qui n'est pas beau.

Sacrer : jurer en disant des mots du vocabulaire religieux.

Le jarret : la partie de la jambe derrière le genou.

Renifleux de caneçons : renifleur (**renifler**) de caleçons, qui respire l'odeur des sous-vêtements; respirer du nez en faisant du bruit.

Assorti : qui va bien avec une chose, qui est en harmonie (exemple : une écharpe assortie à un manteau).

ACTIVITÉS

Découverte

1. À quel genre littéraire appartient ce texte ? Qui sont les personnages en présence ?
2. Quel est le titre de la pièce d'où ce passage est extrait ? Comment le comprenez-vous ?
3. Lisez le chapeau (au-dessus du texte) : présentez le lieu, l'époque, les personnages et leur relation. Que fait l'un d'eux ? À votre avis pourquoi ? Parle-t-on de narrateur au théâtre ? Selon vous, pourquoi Michel Tremblay fait-il ce choix ?
4. Dans quel état psychologique sont les femmes ? Pourquoi ? Quelle est leur situation sociale ?
5. Lisez le texte. Numérotez les répliques. Quelles sont vos impressions ? Que remarquez-vous au niveau de la langue ?

Exploration

Pour toutes les questions, aidez-vous de « Pour mieux comprendre ».

1. Réplique 1 jusqu'à « ça se cache » : qu'est-ce que Nana propose d'acheter ? Pourquoi change-t-elle d'avis (« mais ») ? Qu'est-ce qu'elle ne veut pas que les autres « voient » ?

2. Quelle est la situation sociale de la famille Allard ? Pour Nana, qu'est-ce que les Allard savent faire ? Quelle est la position de Nana face à une telle situation ?

3. « Faut que (...) mariée. » : soulignez le groupe de mots répétés et dites comment Nana considère le cadeau offert par les Allard à Thérèse. Que veut-elle ?

4. Dans les 3 répliques suivantes, comment Albertine et Victoire jugent-elles le cadeau offert ? Pour Nana, qu'est-ce qui compte surtout dans un cadeau ? Comment comprenez-vous ce qu'elle défend ?

5. Répliques 5-6 : les femmes comptent l'argent sur la table. Analysez les deux répliques : reprise, parallélismes, jeu de mots... Qu'est-ce qui est à la fois drôle et tragique ?

6. Réplique 7 : quel mot Albertine a-t-elle dit et qu'elle n'aurait pas dû dire et pourquoi ?

7. Analysez les deux dernières répliques d'Albertine : quelle image a-t-elle du petit garçon ? Que pensez-vous de sa manière de parler (lexique, métaphore...) ?

8. À quelle catégorie sociale M. Tremblay donne-t-il la parole ? De quelle manière s'y prend-il (lexique, oralité, joual...) ? Quelle est l'originalité de cette œuvre ?

Tahar Ben Jelloun
(Fès, Maroc, 1944)

Il est d'abord scolarisé dans une école bilingue français-arabe. Il étudie ensuite au lycée français de Tanger puis à l'université de Rabat. En juillet 1966, il est arrêté et envoyé dans un camp disciplinaire : il est soupçonné d'avoir organisé les manifestations de mars 1965. Il devient professeur de philosophie, mais en 1971 il quitte le Maroc pour la France car l'enseignement est arabisé. Il collabore à la revue *Souffles* dirigée par le poète A. Laâbi. Son premier roman, *Harrouda*, est publié par Maurice Nadeau. En 1975, il soutient une thèse sur « Les problèmes affectifs et sexuels de travailleurs nord-africains en France » : il en fera un livre, *La plus haute des solitudes*, refusé partout sauf par les éditions du Seuil (1977). Puis suivront *Moha le fou, Moha le sage*, *La prière de l'absent*, *L'écrivain public*, *Hospitalité française*. C'est avec *La nuit sacrée* (1987), une suite de *L'enfant de sable*, que Ben Jelloun connaît la célébrité : il reçoit le prix Goncourt. Il continue d'écrire des poèmes, des essais : *Le racisme expliqué à ma fille* (1998), *L'Islam expliqué aux enfants* (2002), des romans : *Les raisins de la galère*. Il collabore aussi à divers journaux italiens, espagnols, suédois sur des questions en rapport avec le monde arabo-musulman et l'immigration.

Partir

Malika, 14 ans, vit à Tanger, au Maroc. Son père l'a retirée de l'école car pour lui ce n'était pas important.

Comme sa copine Achoucha, comme sa voisine Hafsa, comme sa cousine Fatéma, comme des centaines de filles de son quartier, Malika s'en alla décortiquer les crevettes dans l'usine hollandaise installée dans la zone franche du port. Des camions frigorifiques y apportaient chaque jour des tonnes de crevettes cuites pêchées en Thaïlande et passées par les Pays-Bas où on les traitait pour la conservation. Arrivées ici, de petites mains avec des doigts fins les décortiquaient jour et nuit. De là, elles repartaient vers une dernière destination où on les mettait en boîtes de conserve avant de les déverser finalement sur le marché européen. À Tanger, les filles étaient payées une misère. Même avec la meilleure volonté du monde, rares étaient celles qui arrivaient à dépasser les cinq kilos. Malika, en tout cas, n'y était jamais arrivée. Elle rentrait le soir avec une cinquantaine de dirhams maximum, qu'elle remettait aussitôt à sa mère. Elle se plaignait sans cesse d'avoir froid. Et ses doigts étaient devenus quasi insensibles.

À l'usine, elle regrettait le temps de l'école, et ses échappées vers la terrasse des Paresseux pour regarder la mer. Là, elle ne levait pas la tête. Elle faisait des gestes mécaniques et ne perdait pas de temps. Le soir, en rentrant à pied, elle n'avait plus le goût à rien. Parfois, elle passait à côté de son collège, et imaginait ce qu'elle aurait pu devenir. Mais son rêve, celui de partir, de travailler et de gagner de l'argent, était devenu dérisoire. Elle avait mal au dos et ses doigts ressemblaient maintenant aux crevettes qu'elle décortiquait. Ils étaient tout roses et abîmés.

Malika sut très vite qu'elle ne pourrait tenir longtemps dans cette usine. Les filles s'en allaient après six mois les doigts rongés par l'eczéma et certaines atteintes de pneumonie.

Tahar Ben Jelloun, *Partir*, Paris, © Éditions Gallimard, 2006.

Pour mieux comprendre

Décortiquer : enlever la peau.
Une zone franche : une partie du port où des produits vendus ne sont pas taxés.
Frigorifique : qui sert à produire du froid.
Des tonnes de : une grande quantité de, beaucoup de.
Déverser : décharger.
Être payée une misère : gagner très peu d'argent.
Le dirham : monnaie du Maroc ; 1€ = 10 dirhams.
Se plaignait, v. *se plaindre*, imparfait : exprimer sa peine, sa souffrance.
Quasi : presque.
Insensible : qui ne ressent plus rien.
Regrettait, v. *regretter* : ressentir de la peine pour quelque chose que l'on n'a plus.
Une échappée : un moment de liberté.
Dérisoire : ridicule, sans importance.
Abîmé(e) : blessé(e).
Sut, v. *savoir*, passé simple.
L'eczéma : une maladie de la peau.
Une pneumonie : une maladie des poumons.

ACTIVITÉS

Découverte

1. Faites des hypothèses à partir du titre du roman. Quels peuvent être les thèmes abordés ?

2. Lisez le chapeau (au-dessus du texte) et présentez les personnages, le lieu où se déroule l'histoire. Qu'a fait le père ? Pourquoi ? Comment imaginez-vous la vie de la jeune fille ?

3. Regardez le texte et retrouvez le lieu où Malika travaille (1er paragraphe, première phrase ; début du 2e paragraphe et première phrase du 3e paragraphe). Imaginez ce que la fille fait dans cet endroit.

4. Lisez le texte. Quelles sont vos premières impressions ?

Exploration

1. Première phrase : entourez le comparatif « comme ». Combien de fois est-il repris ? Qui est comparé à qui ? Quel est l'effet produit par cette répétition ?

2. Quelle est l'activité de certaines filles de Tanger ? Quelle est la durée de leur temps de travail ? Combien sont-elles payées ? À votre avis, quel genre de vie mènent-elles ?

3. Suivez le parcours des crevettes et expliquez leur cheminement : pays où elles sont pêchées, par où elles passent, etc. Où arrivent-elles finalement ? Qu'en pensez-vous ?

4. Paragraphe 3 : Malika sait qu'elle ne restera pas longtemps dans l'usine. À l'aide de la suite du texte et de la fin des deux premiers paragraphes, expliquez ses raisons. De quoi se plaint-elle ?

5. Paragraphe 2 : quels lieux, quelles époques sont opposés ? Que regrette Malika ? Que faisait-elle alors ? Comment comprenez-vous la troisième phrase ?

6. Retrouvez la phrase qui évoque le « rêve » de Malika. Quel a été ce rêve ? Qu'est-il devenu ? Que peut espérer la jeune fille de l'avenir ?

7. Que dénonce Tahar Ben Jelloun dans ce texte ? Cette situation est-elle spécifique au Maroc ? En vous appuyant sur des exemples précis, écrivez un texte argumenté dénonçant cette situation.

Voyageur / voyageuse

Isabelle Eberhardt

(Genève, Suisse, 1877 – Aïn Sefra, Algérie, 1904)

Elle est née en Suisse, d'un père russe orthodoxe qu'elle n'a pas connu et d'une mère convertie à l'islam, qu'elle perd à 10 ans (elle est enterrée à Bône, actuelle Annaba, en Algérie). Isabelle fait des études à Genève, fréquente les milieux de réfugiés russes. À 20 ans, elle se rend en Algérie, puis en Tunisie, dans le Sahara et le Sahel. En Algérie, elle est victime d'un attentat et est chassée du pays. À Marseille, elle rencontre Slimane Ehnni, avec qui elle se marie, devient française et se convertit à l'islam. Cela lui permet de retourner en Algérie et d'effectuer des reportages pour *La Dépêche algérienne* et *Al Akhbar*. Durant sa courte vie, elle écrit beaucoup. Elle rédige des récits de voyage : *Notes de route, Dans l'ombre chaude de l'Islam, Un voyage oriental* (*Sud Oranais*), un journal intime : *Écrits sur la sable*, des nouvelles : *Au Pays des sables, Amara le forçat, L'Anarchiste, Yasmina*, de nombreuses lettres : *Écrits intimes, lettres aux trois hommes les plus aimés*. Nommée « Isabelle l'Algérien » (Leïla Sebbar), la « fille de Rimbaud », elle portait des vêtements et un prénom d'homme (Mahmoud Saadi) pour mieux découvrir le pays, ses habitants, l'univers masculin. Véritable transfuge, elle meurt emportée par une inondation dans le pays qui l'a tellement fascinée.

Sud Oranais

J'étais seule, seule dans ce coin perdu de la terre marocaine, et seule partout où j'avais vécu et seule partout où j'irai, toujours... Je n'avais pas de patrie, pas de foyer, pas de famille... J'avais passé, comme un étranger et un intrus, n'éveillant autour de moi que réprobation et éloignement.

À cette heure, je souffrais, loin de tout secours, parmi des hommes qui assistent, impassibles, à la ruine de tout ce qui les entoure et qui se croisent les bras devant la maladie et la mort en disant : « *Mektoub !* »

Sur aucun point de la terre, aucun être humain ne songeait à moi et ne souffrait de ma souffrance.

Plus lucide, calmée, j'ai méprisé ma faiblesse et j'ai souri.

Si j'étais seule, n'était-ce pas parce que je l'avais voulu aux heures conscientes où ma pensée s'élevait au-dessus des sentimentalités lâches du cœur et de la chair également infirmes ?

Être seul, c'est être libre, et la liberté était le seul bonheur nécessaire à ma nature.

Alors, je me dis que ma solitude était un bien.

Un souffle chaud se leva vers l'ouest, un souffle de fièvre et d'angoisse. Ma tête déjà lasse retomba sur l'oreiller ; mon corps s'anéantissait en un engourdissement presque voluptueux ; mes membres devenaient légers, comme inconsistants.

La nuit d'été, sombre et étoilée, tombait sur le désert. Mon esprit quitta mon corps et s'envola de nouveau vers les jardins enchantés et les grands bassins bleuâtres du Paradis des Eaux.

Isabelle Eberhardt, *Sud Oranais*, Paris, © Éditions Joëlle Losfeld, 2003.

Pour mieux comprendre

Un foyer : une maison.
Un intrus : une personne qui n'est pas invitée, pas désirée.
Éveillant, verbe *éveiller* : provoquer.
La réprobation : le rejet, le fait de ne pas accepter quelqu'un ou quelque chose.
Impassible : qui ne montre aucune émotion.
La ruine : ce qui est détruit.
Mektoub (mot arabe) : le destin, ce qui est écrit et qui doit arriver ; la fatalité.
Songeait, v. *songer*, imparfait : penser.
Lucide : qui voit clair, conscient.
Mépriser : ne pas tenir compte de, ne pas avoir de respect pour quelque chose/quelqu'un.
Un souffle : l'air.
Lasse : fatiguée.
Mon corps s'anéantissait (...) voluptueux : le fait de ne plus ressentir ses membres, son corps, lui procure une sorte de plaisir.

ACTIVITÉS

Découverte

1. Lisez la biographie de l'auteure : où est-elle née et où a-t-elle passé une partie de sa vie ? À quel âge est-elle morte ? Quels genres d'écrits a-t-elle produits ?
2. Quel est le titre du livre d'où ce texte est extrait ? À l'aide des premier et dernier paragraphes, dites quel est ce lieu et où il se trouve (localisez-le sur une carte).
3. Repérez un mot entre guillemets (« »). À votre avis, pourquoi est-il en italique ? À quelle langue appartient-il et que signifie-t-il (regardez « Pour mieux comprendre ») ?
4. Lisez le texte. Quelles idées retenez-vous ? Dans ce passage, il y a trois mouvements : retrouvez-les et donnez le thème (le sujet) de chacun.
5. En quelle saison et à quel moment Isabelle Eberhardt écrit-elle (dernier paragraphe) ?

Exploration

1. Paragraphe 1 : soulignez le pronom personnel. Qui parle ? Quel mot répété dans la première phrase lui est associé ? Dans quelles circonstances (il y en a trois) l'auteure éprouve-t-elle ce sentiment ?
2. Quelles sont les causes de ce sentiment (trois) ? À qui se compare l'auteure et quel accueil a-t-elle reçu ? Que pensez-vous de ce qu'écrit Isabelle Eberhardt ?
3. Au moment où elle écrit (« à cette heure »), dans quel état est-elle ? Quelles sont les particularités des hommes qui sont avec elle ? Quel regard porte-t-elle sur eux ?
4. En vous aidant des réponses aux questions précédentes, à quelle conclusion arrive l'auteure au 3e paragraphe ? Que pensez-vous de sa philosophie de la vie ?
5. L'auteure essaie de comprendre sa situation (« Si j'étais seule ») : quelles explications donne-t-elle et à quelle conclusion (« alors ») arrive-t-elle ? Reconstruisez le raisonnement par lequel elle arrive à cette conclusion.
6. Paragraphes 8-9 : le lieu et le moment produisent sur la narratrice des effets physiques et spirituels. Quels sont-ils ?
7. Pour Isabelle Eberhardt, « être seule, c'est être libre » : partagez-vous cette idée ? Quelle est votre idée de la liberté ?

Panaït Istrati

(Braila, Roumanie, 1884 – Bucarest, Roumanie, 1935)

Sa mère est une blanchisseuse roumaine et son père, un épicier et contrebandier grec qui les abandonne quand l'enfant a 9 mois. Il va à l'école jusqu'à l'âge de 13 ans et devient un lecteur passionné. La misère l'oblige à exercer des petits métiers pour gagner sa vie et aider sa mère (garçon de magasin, peintre en bâtiment, apprenti chez un cafetier grec puis chez un pâtissier albanais). Il voyage et vagabonde à Constantinople, au Caire, à Naples, en Suisse, à Paris où il séjourne 4 mois chez son compatriote Eugène Ionesco. En 1919, il découvre l'œuvre de Romain Rolland qui préfacera son premier récit, *Kira Kyralina* (1923). Il séjourne en Suisse et en France où il est soigné pour la tuberculose.

En 1921, rattrapé par la misère, seul et malade, il essaie de se suicider. Membre du Parti communiste en 1929, il se rend à Moscou, à Kiev, rencontre Maxime Gorki. Sa désillusion sera grande : il en fait le récit dans *Vers l'autre flamme, confession pour vaincus*, livre critique envers le régime soviétique. Le style de ses écrits (*Les Chardons du Baragan, Oncle Anghel, Mes départs, La Vie d'Adrien Zograffi*), proche de celui du conte, fait entendre le parler populaire, les langues étrangères, rendant compte du cosmopolitisme dans lequel l'auteur a vécu.

Mes départs

À Naples, le narrateur, très pauvre, s'est embarqué sans billet sur un bateau à destination d'Alexandrie, en Égypte. À bord, il a rencontré un Autrichien qui lui a offert à manger.

Maintenant il me faut une couchette. Où la trouver ? Partout !

Je m'allonge simplement sur le grand carré qui couvre la salle à manger des troisièmes et je dors. Je dors comme une bûche, jusqu'au matin, quand une main me secoue. Je lève la tête, un peu vexé : une blouse blanche, un jeune visage gaillard se penche sur moi :

– *Fokïsta léï ?* (Vous êtes chauffeur ?)

– *Fokïsta…*

Et je me couvre la tête, me rendors. Peu après, la même main, le même visage, reviennent à la charge :

– *Passagiéri, léï ?*

– *Passagiéri…*

Le garçon éclate de rire :

– Ha ! ha ! Tu n'es ni chauffeur, ni passager, tu es un vagabond ! Viens avec moi !

Zut ! Qu'est-ce qu'il va me faire ? Contrôleur ? Charbon ? Adieu malaga, sandwichs, cigares !

Non ! Pas du tout… Bien au contraire : c'est la série du bien, après celle du mal ! C'est la vie.

Il me conduit dans la salle à manger, au-dessus de laquelle j'ai dormi. Là, petit-déjeuner. Les voyageurs ont passé, et, sur trois couverts, deux sont intacts.

– *Ils* ont le mal de mer, eux ! Toi, tu ne l'as pas ! Vas-y !

Comme le loup dans le troupeau de brebis, je me jette sur ce beurre, cette confiture, ces petits pains tout chauds, ce bon lait, ce café exquis, et j'envoie tout cela réparer mes pauvres boyaux purgés par tant de salade. Le sommelier me regarde, les bras croisés, la face réjouie :

– Ne te presse pas ! C'est permis ! Tout cela doit aller à la mer, aux requins !... Et des rôtis, gros comme ça !... Et des *Kougloufs*, comme ça ! À la mer !...

Panaït Istrati, *Mes départs*, Paris, 1928.

Pour mieux comprendre

La troisième : la troisième classe du bateau (la moins chère).

Dormir comme une bûche : dormir profondément, sans bouger (expression).

Vexé(e) : blessé(e) dans son amour-propre, humilié(e).

Un visage gaillard : un visage plein de vie, en bonne santé, joyeux.

Se pencher : baisser la tête ; faire un mouvement vers le bas.

Revenir à la charge : insister dans ses démarches, refaire la même chose.

Un vagabond : une personne qui n'a ni argent, ni maison et qui change toujours de lieu.

Du malaga : boisson alcoolisée que lui offrait l'Autrichien.

Exquis : délicieux.

Des boyaux purgés par tant de salade : le narrateur a mangé beaucoup de salade et il a eu mal au ventre (diarrhée).

Le sommelier : la personne qui s'occupe des boissons au restaurant.

Des Kougloufs : des gâteaux alsaciens.

Découverte

1. Faites des hypothèses à partir du titre de cette œuvre.
2. Lisez le chapeau : où est le narrateur ? D'où part-il et vers quelle destination va-t-il ?
3. Que lui offre le personnage rencontré sur le bateau ? Quelle est la situation du narrateur ?
4. Dans la biographie, trouvez des points communs entre l'auteur et le personnage du récit.
5. Repérez dans le texte les passages en italique : quelle(s) langue(s) reconnaissez-vous ?

Exploration

1. Lisez le texte. À quelle personne et à quel temps est-il écrit ? De quel genre d'écrit s'agit-il ? Quel effet produit le temps utilisé ?

   ....

2. Que cherche le narrateur ? Pourquoi ? Quel endroit précis choisit-il pour cela ? (1er et 2e paragraphes).

   ....

3. « Je dors comme (...) sur moi » : quel mot grammatical marque une rupture entre le moment où le narrateur dort et celui où il est réveillé ? De quelle manière décrit-il la personne qui le réveille par deux fois ?

   ....

4. Quelle est la réaction du « garçon » après ses deux questions ? À votre avis, pourquoi ? À quelle conclusion arrive-t-il ? Cette situation est-elle juste ? Justifiez votre réponse.

   ....

5. Soulignez les questions que se pose le narrateur. Que traduisent-elles ? Face à la situation du narrateur, que fait le « garçon » ? Que pensez-vous de son attitude ?

   ....

6. Où emmène-t-il le narrateur ? Lisez les deux dernières répliques du « garçon » : à qui le pronom « Ils » renvoie-t-il ? Que propose-t-il au narrateur ?

   ....

7. À quel animal le narrateur se compare-t-il et pourquoi ? « Je me jette (...) salade » : comment exprime-t-il sa faim (adjectifs, expression figurée/métaphorique, accumulation...) ?

   ....

   ....

8. À votre avis, que va-t-il se passer pour le narrateur ? Écrivez une suite immédiate du texte.

   ....

   ....

Un barbare en Inde

Le narrateur observe les habitants.

Henri Michaux

(Namur, Belgique 1899 – Paris, 1984)

Son enfance est marquée par la maladie dont il fera le récit dans son journal *Ecuador* (1929). « Je suis né troué », écrit-il. Il grandit en Belgique et est scolarisé en français dans une école prestigieuse. Il est passionné par les insectes et l'écriture chinoise. En 1919, il entre à l'Université libre de Bruxelles, en médecine, mais ne termine pas son année. Il devient marin et voyage en Angleterre, en Amérique. En 1924, il s'installe à Paris, se lie d'amitié avec Jean Paulhan et Jules Supervielle. Poète aventurier, peintre, il partage sa vie entre des voyages réels (Équateur, Turquie, Chine, Inde) et imaginaires qu'il décrit à travers une écriture originale : *Un certain Plume* ; *Un Barbare en Asie* ; *Épreuves, exorcismes* ; *La Vie dans les plis*. L'usage de la drogue lui a permis l'expérience de l'infini, de la folie, de l'hallucination : *Connaissance par les gouffres* ; *Face à ce qui se dérobe*. Écrivain de l'espace du « dedans », il a une relation conflictuelle avec son œuvre. Sa poésie est jugée difficile, en marge de la littérature traditionnelle.

Immobiles et n'attendant rien de personne.

Celui qui a envie de chanter, chante, de prier, prie, tout haut, en vendant son bétel ou n'importe quoi.

Ville emplie incroyablement, de piétons, toujours de piétons, où l'on a peine à se frayer un passage même dans les rues les plus larges.

Ville de chanoines et de leur maître, leur maître en impudence et insouciance, la vache.

Ils ont fait alliance avec la vache, mais la vache ne veut rien savoir. La vache et le singe, les deux animaux sacrés les plus impudents. Il y a des vaches partout dans Calcutta. Elles traversent les rues, s'étalent de tout leur long sur un trottoir qui devient inutilisable, fientent devant l'auto du vice-roi, inspectent les magasins, menacent l'ascenseur, s'installent sur le palier, et si l'Hindou était broutable, nul doute qu'il serait brouté.

Quant à son indifférence vis-à-vis du monde extérieur, là encore elle est supérieure à l'Hindou. Visiblement, elle ne cherche pas d'explication, ni de vérité dans le monde extérieur. *Maya* tout cela. Maya, ce monde. Ça ne compte pas. Et si elle mange ne fût-ce qu'une touffe d'herbe, il lui faut plus de sept heures pour méditer ça.

Et elles abondent, et elles rôdent, et elles méditent partout dans Calcutta, race qui ne se mêle à aucune autre, comme l'Hindou, comme l'Anglais, les trois peuples qui habitent cette capitale du monde.

Henri Michaux, *Un Barbare en Inde*, in *Un barbare en Asie*, Paris, © Éditions Gallimard, 1933.

Pour mieux comprendre

Le bétel : un petit arbre des régions tropicales dont les feuilles ont des propriétés stimulantes.

Se frayer un passage : essayer d'écarter des gens pour ouvrir un chemin.

Un chanoine : un religieux.

L'impudence : le fait de ne pas avoir de retenue, de manquer de discrétion.

L'insouciance : le fait de ne pas s'inquiéter, de ne pas se soucier de quelque chose.

Sacré : dans la religion, c'est ce qui est respecté, vénéré.

Fienter : le fait pour un animal de faire ses besoins.

Menacer : les vaches représentent un danger pour l'ascenseur.

Broutable : adjectif inventé sur le verbe **brouter**, manger de l'herbe. Si l'Hindou était « mangeable, il serait mangé ».

Maya : c'est l'illusion cosmique dans la doctrine bouddhique.

Ne fût-ce qu'une touffe d'herbe, v. *être* à l'imparfait du subjonctif : même si la vache ne mange qu'une petite quantité d'herbe.

Méditer : penser, réfléchir.

Abonder : être en grand nombre.

Rôder : aller au hasard, errer.

Un barbare : celui qui n'est pas civilisé.

Découverte

1. Repérez le titre de l'œuvre et le titre de la sous-partie d'où ce passage est extrait. Comment les comprenez-vous ?
2. Parcourez le texte et repérez le nom d'une ville. Dans quel pays se trouve-t-elle ?
3. Dans la biographie de l'auteur, relevez d'autres pays qu'il a visités.
4. Lisez le chapeau (les informations au-dessus du texte) et les paragraphes 1 et 2 : que fait le narrateur ? Que dit-il des habitants ?

Exploration

1. Lisez le texte : de « qui » le narrateur parle-t-il vraiment ? Soulignez le mot répété et le pronom qui le reprend. Quelles remarques pouvez-vous faire ?

   ....

2. Paragraphe 4 : quel nom signale la relation hiérarchique entre l'animal et les chanoines ? Qu'en pensez-vous ? Où le nom « vache » est-il placé ? Quel est l'effet créé ? Quels sont les traits de caractère de l'animal ?

   ....

3. Paragraphe 5 : que symbolise la vache dans la tradition bouddhique ? Soulignez les verbes qui concernent l'animal : quelle image en est ainsi donnée ? Qu'est-ce qui est drôle ?

   ....

4. Quelle est l'attitude de la vache face au monde « extérieur » ? Pour le narrateur, qu'est-ce qui la différencie de l'Hindou ? Que pensez-vous du jugement de Michaux ?

   ....

   ....

5. Quelle est l'activité « intellectuelle » de la vache (repérez le verbe repris deux fois) ? Comment interprétez-vous l'emploi de ce verbe (humour, ironie…) ?

   ....

   ....

6. Pour Michaux, quels « peuples » habitent cette ville et quel est leur point commun ? Qu'est-ce qui est surprenant ici ?

   ....

   ....

7. À quelle date ce texte a-t-il été écrit ? Quel témoignage historique et social Michaux donne-t-il de Calcutta ?

   ....

   ....

En route pour Dakar

Blaise Cendrars

(La Chaux-de-Fonds, à Neuchâtel, Suisse – 1887, Paris, 1961)

Blaise Cendrars (de son vrai nom Frédéric Sauser) est avant tout la figure du poète voyageur. C'est un mauvais élève. Sa famille l'envoie en apprentissage à Moscou (il y retournera souvent), chez un compatriote. Cendrars est naturalisé français en 1916. Durant toute sa vie, il développera une amitié avec des artistes (peintres, écrivains, russes, suisses, français...). En 1911-1912, il part pour l'Amérique et tient un journal : *Mon voyage en Amérique*. De retour à Paris, il compose la *Prose du Transsibérien et de la petite Jeanne de France* (1913). Engagé en 1914, il signe un *Appel* aux étrangers vivant en France à s'enrôler comme volontaires dans l'armée française. Pendant la Première Guerre mondiale, il perd un bras. Il mène une vie difficile, tente de se suicider. Ses écrits sont illustrés par des artistes (Léger pour *J'ai tué*, Kisling pour *La Guerre au Luxembourg*). En 1921 paraît l'*Anthologie nègre*, un recueil de contes. Il voyage au Brésil en 1924 ; il publie *L'Or*. En 1937, il est en Espagne et au Portugal, écrit des nouvelles : *Histoires vraies. La Main coupée*, récit sur la guerre, paraîtra en 1946. *Bourlinguer* (1948) remporte un vif succès. Cendrars reçoit le Grand Prix littéraire de la Ville de Paris en 1961, juste avant sa mort.

L'air est froid
La mer est d'acier
Le ciel est froid
Mon corps est d'acier
Adieu Europe que je quitte pour la première fois depuis 1914
Rien ne m'intéresse plus à ton bord pas plus que les émigrants de l'entrepont juifs russes basques espagnols portugais et saltimbanques allemands qui regrettent Paris
Je veux tout oublier ne plus parler tes langues et coucher avec des nègres et des négresses des indiens et des indiennes des animaux des plantes
Et prendre un bain et vivre dans l'eau
Et prendre un bain et vivre dans le soleil en compagnie d'un gros bananier
Et aimer le gros bourgeon de cette plante
Me segmenter moi-même
Et devenir dur comme un caillou
Tomber à pic
Couler à fond

Blaise Cendrars, *Feuilles de route* (1944),

Pour mieux comprendre

La mer est d'acier : la mer a une couleur gris bleu.
Un corps d'acier : un corps dur.
À ton bord : sens propre, le fait d'être sur un bateau ; ici en Europe.
L'entrepont : sur un bateau, l'espace, l'étage entre deux ponts.
Un saltimbanque : un comédien, un acrobate, une personne qui gagne sa vie en se produisant devant un public.
Un nègre/une négresse (péjoratif aujourd'hui) **:** une personne de couleur noire.
Me segmenter : me découper, me diviser.
Tomber à pic : tomber verticalement en allant au fond de l'eau.
Feuilles de route : des autorisations données aux soldats pour se déplacer.

Découverte

1. Commentez le titre de l'œuvre d'où ce texte est extrait. Aidez-vous de « Pour mieux comprendre ».
2. Lisez le titre de l'extrait : de quoi est-il question ? Où se trouve ce lieu ? Dans la biographie de l'auteur, qu'est-ce qui attire le plus votre attention ?
3. Connaissez-vous d'autres expressions avec le mot « route » ? Y en a-t-il dans votre langue qui sont équivalentes ? Différentes ?
4. Lisez le texte. De quel genre littéraire s'agit-il ? Qui parle ? Comment trouvez-vous ce texte : drôle, triste, surprenant... ? Justifiez votre réponse.
5. Numérotez toutes les « lignes » du poème.

Exploration

1. Vers 1-4 : où le poète peut-il se trouver ? De quels éléments naturels parle-t-il ? Dans chacun des vers, les mots répétés n'ont pas le même sens : retrouvez ces sens. Comment comprenez-vous cette ouverture de poème ?

   ....

2. Soulignez les deux premiers mots du vers 5 : qui le poète interpelle-t-il ? Dans quelles circonstances dit-on « adieu » ? Quelle date importante choisit-il et pourquoi ?

   ....

3. Lignes 6 à 8 (« Rien (...) Paris ») : quelle est l'attitude du poète face à l'Europe et face aux personnes qui la constituent ? Quel effet créent l'accumulation et l'absence de ponctuation ?

   ....

4. Quelles autres personnes veut-il rencontrer, aimer ? Dans l'énumération (jusqu'à « plantes »), que pensez-vous de la chute ? À quoi pouvait-on s'attendre ?

   ....

5. Lignes 12-15 (« Et prendre (...) plante ») : de quel monde parle le poète ? Qui choisit-il comme « compagnon » ? Que pensez-vous de ce choix ?

   ....

6. Relisez les vers 9 à 15 (« Je veux (...) plante ») et analysez le style de ce passage (répétition, accumulation, coordination, parallélisme...).

   ....

7. Les 4 derniers vers : analysez le rythme, la longueur, le sens, les jeux de mots. Par quels mot et expression le poète prépare-t-il la chute (dernier vers) ? Finalement, en quittant l'Europe, à quelle « destination » pense-il ?

   ....

8. « En route pour... » : à votre tour, choisissez une destination et écrivez un poème à la manière de Cendrars.

   ....

Nicolas Bouvier

(Grand-Lancy, [Genève], Suisse 1929-1998)

Écrivain voyageur, photographe, poète, Nicolas Bouvier a passé son enfance en Suisse, dans un milieu cultivé, stimulant. Les romans de Jules Verne, Dumas, Stevenson, Jack London, les cartes et les atlas de géographie nourrissent son imagination : les noms de Samarcande, Trébizonde, le font rêver. Très jeune, grâce à son père bibliothécaire, il rencontre Marguerite Yourcenar, Thomas Mann, Ian Fleming, Hermann Hesse. Plus tard, son père l'encourage à voyager en Italie et dans le nord de l'Europe.
En 1953, après des études de droit et de lettres, il part, avec le peintre Thierry Vernet, pour un voyage de trois ans au Japon en passant par les Balkans, l'Iran, l'Afghanistan, l'Inde et Ceylan. Il en fait le récit dans *L'usage du monde*. Il consacre des ouvrages au Japon : *Japon* (1967) et *Chronique japonaise* (1975) et un livre à Ceylan, *Le Poisson-Scorpion* (1981).
De retour à Genève, il travaille pour l'Organisation mondiale de la santé. Il devient ensuite journaliste, donne des conférences dans des universités d'Amérique du Nord. Dans ses récits, sa poésie, *Le Dedans et le Dehors* (1990), Bouvier chante les bienfaits du déplacement, invite à goûter la douceur de la vie, mais aussi à méditer sur l'instant, la mort, le rapport à l'autre.

Le lion et le soleil

En 1953, Nicolas Bouvier, 24 ans, découvre l'Iran.

Comme Kyoto, comme Athènes, Téhéran est une ville lettrée. On sait bien qu'à Paris personne ne parle persan ; à Téhéran, quantité de gens qui n'auront jamais l'occasion ni les moyens de voir Paris parlent parfaitement français. Et ce n'est pas le résultat d'une influence politique ni – comme l'anglais en Inde – d'une occupation coloniale. C'est celui de la culture iranienne, curieuse de tout ce qui est autre. Et quand les Persans se mettent à lire, ce n'est pas Gyp, ni Paul Bourget*.

Un matin, avenue Lalezar, en passant devant la porte ouverte d'une parfumerie, j'entendis une voix sourde, voilée comme celle d'un dormeur qui rêve tout haut :

… Tu t'en vas sans moi, ma vie
Tu roules,
Et moi j'attends encore de faire un pas
Tu portes ailleurs la bataille
…

J'entrai sur la pointe des pieds. Affaissé contre un bureau-cylindre dans la lumière dorée des flacons de Chanel, un gros homme parfaitement immobile, une revue ouverte devant lui, lisait à haute voix ce poème** ; se le répétait plutôt comme pour s'aider à accepter des choses qu'il ne savait que trop. Une expression extraordinaire d'acquiescement et de bonheur était répandue sur son large visage mongol perlé de sueur. Il était seul dans la boutique et trop absorbé pour s'aviser de ma présence. Je me gardai bien de l'interrompre ; jamais la poésie n'est mieux dite que de cette façon-là. Quand il eut terminé et qu'il m'aperçut à deux pas de lui, il n'en marqua aucune surprise et ne me demanda pas davantage si je désirais quelque chose. Il me tendit simplement la main et se présenta. Des yeux noirs liquides, une petite moustache de morse, une élégance un peu molle : Sorab.

---

*À la bibliothèque de l'Institut, les ouvrages de Proust, Bergson, Larbaud étaient couverts d'annotations marginales (note de l'auteur). ** Henri Michaux : *La Nuit remue*.

Nicolas Bouvier, Œuvres, « Le lion et le soleil », in *L'usage du monde*, 1963, Paris, © Éditions Gallimard, collection « Quarto », 2004.

Pour mieux comprendre

Lettré(e) : qui a du savoir, cultivée.
Gyp : romancière française (1849-1932, de son vrai nom Gabrielle Riquetti de Mirabeau), auteure de romans mondains ; **Paul Bourget :** romancier français (1852-1935), auteur de romans psychologiques et moraux. Ils ne sont pas reconnus comme des écrivains importants.
Sur (…) pieds : sans faire de bruit.
Affaissé : à moitié penché, abaissé, courbé.
Un acquiescement : le fait de dire oui.
Mongol : de la Mongolie.
Visage (…) perlé de sueur : le visage transpire et cela ressemble à des gouttes d'eau.
Absorbé : avoir l'esprit occupé.
S'aviser de : faire attention à quelqu'un ou quelque chose.
Une moustache de morse : une moustache (des poils) qui tombe comme celle du morse, un animal de mer.
L'usage : l'habitude, la manière de faire ; la connaissance de ce qu'il faut faire et l'utilisation (de quelque chose).

Découverte

1 Regardez le texte comme s'il était une image : comment est-il composé ?

2 Lisez le chapeau : de qui parle-t-on ? Présentez cette personne (complétez avec la biographie). Où voyage-t-elle ? À votre avis, quel type de texte allez-vous lire ?

3 Relevez le premier titre (en bas, à droite). Que symbolisent ces deux noms pour vous (dans votre pays et votre culture) ? Comment comprenez-vous le second titre ?

4 Dans le premier paragraphe, soulignez les noms de villes. Lesquelles connaissez-vous ? Dans quel pays se trouvent-elles ?

5 Lisez le texte. Qui parle ? Qu'avez-vous compris ?

Exploration

1 Première phrase : retrouvez le mot grammatical qui établit une comparaison (répété deux fois). Qu'est-ce qui est comparé et à propos de quoi ?

....

2 Quelle est la particularité des habitants de Téhéran ?

....

3 « Et ce n'est (...) Bourget » : quels auteurs les Persans ne lisent-ils pas ? Quels autres auteurs lisent-ils ? Faites des recherches sur ces auteurs et dites quelles sont les caractéristiques culturelles des Persans.

....

4 De quel lieu proviennent les vers entendus et qui les récite ? Que pensez-vous de cette situation ? Qui est l'auteur des vers ? Retrouvez dans ce manuel des informations sur lui.

....

5 Comment le parfumeur (Sorab) est-il présenté (physique, attitude...) ? Quel regard Bouvier porte-t-il sur cet homme ?

....

6 Quelle est la réaction de Sorab quand il aperçoit Bouvier (fin du dernier paragraphe) ? Est-ce la réaction attendue de la part d'un commerçant ? Argumentez votre réponse.

....

7 Relisez les phrases de « Une expression... » à « de cette façon-là » : quel rapport Sorab a-t-il avec la poésie ? Quelle est l'appréciation de Bouvier face à cette situation ?

....

8 En racontant cette anecdote, comment se situe l'écrivain voyageur par rapport à l'autre, l'étranger ? Que souhaite-t-il transmettre aux lecteurs ? Développez votre réponse.

....

Abdellatif Laâbi

(Fès, Maroc, 1942)

Il est né dans une famille d'artisans traditionnels. Il a enseigné le français au lycée de Rabat. Il est surtout connu pour son œuvre poétique considérable. À 20 ans, il écrit *Le Règne de Barbarie*. Pendant les « années de plomb », il est victime de la chasse aux intellectuels menée par le roi Hassan II. Il décide de ne pas se taire face à un pouvoir qu'il considère comme arbitraire, oppressif et méprisant.
En 1966, avec des amis poètes (Khaïr-Eddine, Khatibi, Ben Jelloun), il fonde la revue *Souffles* qui renouvelle la vie intellectuelle au Maghreb.
À cause de ce combat, il sera emprisonné pendant 8 ans (de 1972 à 1980). Laâbi est aussi le traducteur en français de poètes arabes et palestiniens. Il a publié des romans : *Les rides du lion* (1989), *Le chemin des ordalies* (2003), du théâtre : *Exercices de tolérance* (1993), *Rimbaud et Shéhérazade* (2000), mais c'est à la poésie qu'il consacre une grande part de sa vie : *Sous le bâillon le poème* (1981), *Discours de la colline arabe* (1985), *L'Écorché vif* (1986). *Le Soleil se meurt* (1992), *L'Étreinte du monde* (1993), *Le Spleen de Casablanca* (1996). À travers ses poèmes se lit la polyphonie tragique d'un homme engagé et humaniste. Depuis 1985, il vit en France.

La mouette

On ne remercie jamais assez les oiseaux
L'hôte d'aujourd'hui est une mouette
À son appel, je me suis mis à la fenêtre
À mon appel, elle s'est posée sur le toit
de la maison de Chateaubriand
Comme de vieilles connaissances
nous avons parlé de choses et d'autres
De la Méditerranée
venue jusqu'à Saint-Malo
Du ciel qui a revêtu enfin
sa cape bleue de cérémonie
Des vitraux de Bazaine
dans la maison vide de Dieu
Mais aussi de la solitude
qui s'empare de vous
au milieu de la foule
Merci, ai-je dit à la mouette
sans savoir pourquoi
Elle m'a répondu
par un petit ricanement complice
puis s'est envolée
vers Essaouira
ai-je pensé

Abdellatif Laâbi, *Poèmes périssables*, Paris,
© Éditions de la Différence, 2000.

Pour mieux comprendre

Périssable : qui ne dure pas, qui n'est pas éternel ; éphémère, mortel.

Une mouette : un oiseau de mer de couleur blanche.

Un hôte : la personne qui reçoit ou donne l'hospitalité ; l'invité ou celui qui invite.

Chateaubriand : écrivain français (1768-1848) né à Saint-Malo, en Bretagne. Dans *Mémoires d'outre-tombe*, il raconte un moment qui l'a marqué : il se promène, seul, et réfléchit ; soudain le chant d'une grive (un oiseau) le tire de ses réflexions et l'emmène vers de lointains souvenirs.

Une cape : un grand manteau qui recouvre le corps.

Une cérémonie : une grande fête, une réception.

Jean Bazaine : peintre français (1904-2001) qui a réalisé des mosaïques et des **vitraux** : des morceaux de verre colorés qui décorent les églises.

S'emparer : envahir.

Un ricanement complice : un rire moqueur partagé entre le poète et la mouette.

Essaouira : une ville du Maroc située sur l'Atlantique et qui a un grand port de pêche.

ACTIVITÉS

Découverte

1. Observez le texte : que remarquez-vous ? Quel est son genre littéraire ?
2. Parcourez le texte (sans le lire) et relevez des noms propres. À qui/à quoi renvoient-ils ? Que savez-vous de ces noms ?
3. Quel est le titre de ce texte ? Pour vous, que représente cet oiseau ? Où vit-il en général (aidez-vous de « Pour mieux comprendre ») ?
4. À l'aide du vocabulaire, expliquez le titre du recueil. Pour vous, à quoi renvoie l'adjectif « périssable » ?

Exploration

1. Lisez le poème. Quelles sont vos impressions ? Comment l'avez-vous lu en l'absence de toute ponctuation ?
2. Vers 1-2 : qui le pronom indéfini « on » représente-t-il ? Pour le poète, qui est « l'hôte d'aujourd'hui » ? Comment interprétez-vous ce choix poétique ?
3. Dans les vers 3 à 5, repérez les reprises, les parallélismes : qu'expriment-ils ? Où se pose la mouette ? Quel lien crée-t-elle avec le poète ?
4. Délimitez les vers où le poète et la mouette « discutent » : de quoi parlent-ils ? Classez par sujet ce que vous avez trouvé (condition humaine...) et commentez le choix des sujets.
5. À quelles situations les vers 14 à 16 font-ils penser ? Quels liens établissez-vous avec le poète ?
6. Quand le dialogue prend fin, que fait le poète ? De quelle manière lui répond l'oiseau et pourquoi à votre avis ? Vers quelle destination s'envole la mouette ? Pourquoi le poète a-t-il « pensé » à ce lieu ?
7. Que symbolise la mouette pour Abdellatif Laâbi ? À votre tour, choisissez un symbole et écrivez un poème à la manière de Laâbi.

Georges Simenon

(Liège, Belgique 1903 – Lausanne, Suisse, 1989)

Né dans un milieu modeste, il abandonne rapidement ses études, exerce de petits métiers : apprenti pâtissier, commis de librairie... Révolté par sa condition sociale, il fréquente alors les milieux marginaux, les cabarets sordides, les rues de prostituées. Dès 16 ans, il collabore à différents journaux (*La Gazette de Liège*) et son premier roman, *Au pont des Arches*, est publié en 1921. Il s'installe ensuite à Paris et est correspondant pour un journal bruxellois, *La Revue sincère*. Attiré par l'aristocratie, il devient secrétaire du marquis Raymond d'Estutt de Tracy, le suit dans ses différentes résidences, à Paray-le-Frésil, près de Moulins (Allier), qui, dans ses romans, deviendra Saint-Fiacre, lieu de naissance du commissaire Maigret, qui apparaît pour la première fois dans *Train de nuit* (1930). Écrivain prolifique, il publie plus de 190 romans, 158 nouvelles et de multiples reportages. Sa série policière des *Maigret*: *Monsieur Gallet, décédé*; *Le pendu de Saint-Pholien*; *Le Chien jaune*; *Un crime en Hollande*; *La Tête d'un homme*... a fait l'objet de nombreuses adaptations au cinéma et à la télévision. Voyageur infatigable, il parcourt l'Europe, l'Amérique, l'Asie, l'Australie en tant que reporter. C'est l'auteur belge le plus traduit dans le monde.

L'affaire Saint-Fiacre

À Moulins, en Auvergne, la comtesse de Saint-Fiacre, environ 60 ans, est retrouvée morte dans l'église. Le commissaire Maigret parle avec le fils, Maurice, qui arrive de Paris.

« Quelqu'un a-t-il intérêt à la mort de votre mère ?

– Je ne comprends pas... Le docteur vient de dire... »

Il était anxieux. Il avait des gestes saccadés. Il prit vivement le papier que Maigret lui tendait et qui annonçait le crime.

« Qu'est-ce que cela veut dire ?... Bouchardon parle d'un arrêt du cœur et...

– Un arrêt du cœur que quelqu'un a prévu quinze jours auparavant ! »

Des paysans les regardaient de loin. Les deux hommes approchaient de l'église, marchant lentement, suivant le cours de leurs pensées.

« Qu'est-ce que vous veniez faire au château ce matin ?

– C'est justement ce que je suis en train de me dire... articula le jeune homme. Vous me demandiez il y a un instant si... Eh bien ! oui... Il y a quelqu'un qui avait intérêt à la mort de ma mère... C'est moi ! »

Il ne raillait pas. Son front était soucieux. Il salua par son nom un homme qui passait en bicyclette.

« Puisque vous êtes de la police, vous avez déjà dû comprendre la situation... D'ailleurs, cet animal de Bouchardon n'a pas manqué de parler... Ma mère était une pauvre vieille... Mon père est mort... Je suis parti... Restée toute seule, je crois bien qu'elle a eu la cervelle un peu dérangée... Elle a d'abord passé son temps à l'église... Puis...

– Les jeunes secrétaires !

– Je ne pense pas que ce soit ce que vous croyez et ce que Bouchardon voudrait insinuer... Pas du vice !... Mais un besoin de tendresse... Le besoin de soigner quelqu'un... Que ces jeunes gens en aient profité pour aller plus loin... Tenez ! cela ne l'empêchait pas de rester dévote... Elle devait avoir des crises de conscience atroces, tiraillée qu'elle était entre sa foi et ce... cette...

– Vous disiez que votre intérêt ?...

– Vous savez qu'il ne reste pas grand-chose de notre fortune... Et des gens comme ce monsieur que vous avez vu ont les dents longues... Mettons que dans trois ou quatre ans il ne serait rien resté du tout... »

Il était nu-tête. Il se passa les doigts dans les cheveux. Puis, regardant Maigret en face et marquant un temps d'arrêt, il ajouta :

« Il me reste à vous dire que je venais ici aujourd'hui pour demander quarante mille francs à ma mère... Et ces quarante mille francs, j'en ai besoin pour couvrir un chèque qui, sans cela, sera sans provision... Vous voyez comme tout s'enchaîne !... »

Georges Simenon, *L'affaire Saint-Fiacre* (1932), Paris, © Éditions Gallimard, coll. La Pléiade, 2003.

Pour mieux comprendre

Anxieux : angoissé, inquiet, **soucieux**.

Des gestes saccadés : le fait de faire des mouvements rapides et brusques.

Bouchardon : c'est le médecin.

Railler : plaisanter, se moquer.

La cervelle un peu dérangée : le cerveau qui ne fonctionne pas bien.

Insinuer : suggérer quelque chose, dire sans vraiment dire.

Le vice : le fait de mal se conduire, de ne pas respecter la morale.

Dévot(e) : qui pratique beaucoup la religion.

Ce monsieur : le dernier secrétaire qui travaillait avec la comtesse.

Avoir (...) longues : être très ambitieux.

Quarante mille francs : 19 000 €.

ACTIVITÉS

Découverte

1. Observez l'extrait proposé : comment est-il composé ? Quels sont les signes de ponctuation les plus utilisés et quel peut être leur rôle ?

2. Lisez le chapeau (au-dessus du texte) et présentez les personnages, le lieu où se passe l'action. Quelle est la situation ? De quel milieu social s'agit-il ?

3. Quel est le titre du roman d'où ce passage est extrait ? Aidez-vous de « Pour mieux comprendre » et dites de quoi il s'agit.

4. Lisez le texte : qu'avez-vous compris ? Mettez les noms des personnages devant chaque réplique.

Exploration

1. Selon le docteur Bouchardon, de quoi est morte la comtesse ? Le commissaire Maigret est-il d'accord ? Quel est son argument ?

2. Retrouvez les indications qui montrent l'état psychologique de Maurice. Comment ces signes peuvent-ils être interprétés par Maigret ?

3. Quelle réponse et quelle explication Maurice donne-t-il à la première question du commissaire (cherchez dans tout le texte) ?

4. D'après son attitude et ce que vient de dire Maurice, que peut-on penser de lui ?

5. Qui sont les « jeunes secrétaires » et « ce monsieur » ? Selon Bouchardon, quel serait leur rôle ?

6. Face aux insinuations du docteur Bouchardon, qu'est-ce que Maurice essaie d'expliquer au commissaire ? Que veut-il dire par « et des gens (...) dents longues. » ? Finalement, qui Maurice met-il en cause ?

7. Imaginez la rencontre entre le commissaire Maigret et le secrétaire.

Double blanc

Yasmina Khadra

(Kenadsa, Sahara algérien, 1955)

Sous ce nom de femme se cache Mohammed Moulessehoul, fils d'un officier de l'armée. À l'âge de 9 ans, il est confié à l'École des cadets de la Révolution et fait une carrière militaire. En septembre 2000, il prend sa retraite après 36 ans de service et décide de se consacrer à la littérature.
Il part d'abord au Mexique puis s'installe en France avec sa famille. Il choisit de publier dans la clandestinité, ce qui lui permet de mieux critiquer l'armée, l'intolérance qui sévit en Algérie : *Morituri* (1997) reçoit le Trophée 813 du meilleur roman francophone.
Il devient célèbre avec la série noire du commissaire Llob : *Double blanc, L'Automne des chimères* (1998).
Dans la plupart de ses récits, *Les Agneaux du Seigneur* (1998), *À quoi rêvent les loups ?* (1999), Khadra parle d'une Algérie dévorée par la corruption, le fanatisme religieux et la lutte des pouvoirs. Avec *Les hirondelles de Kaboul, L'Attentat et Les Sirènes de Bagdad*, il donne à lire et à comprendre un dialogue difficile entre l'Orient et l'Occident. Son roman *L'Écrivain* (2001) raconte sa jeunesse, sa vie de jeune soldat, sa venue à l'écriture et sa découverte des grands textes littéraires.

Un homme a été tué. Le commissaire Llob et un policier, Ewegh, son adjoint, rencontrent un suspect.

J'écarte ma veste de gagne-pas-assez sur ma plaque de flic.

– Vous êtes Abderrahmane Kaak ?

– *Monsieur* Abderrahmane Kaak, patron des hôtels Raha, PDG de Afak-Import-Export, président de DZ-tourisme. Qu'est-ce que vous me voulez ?

Son haleine avinée me ronge les prunelles et son zèle, les tripes.

– On a des questions à vous poser.

– À propos de quoi ?

– On bavarderait mieux à l'intérieur.

– C'est pas de chance. J'ai égaré mes clefs.

Je dis à Ewegh :

– Monsieur a égaré ses clefs.

Ewegh opine du chef, gravit le perron et défonce d'un coup de pied la porte de la villa. Le nabot s'ébranle, choqué. Son cigare lui échappe et son teint vire au gris. Je suis certain que, si on avait botté le derrière de son propre père, ça ne l'aurait pas bouleversé autant.

– Hé ! cette lourde est une œuvre d'art. Non, mais d'où c'que vous débarquez ? Cette lourde m'a coûté les yeux de la tête.

Je dis à Ewegh :

– Elle lui a coûté les yeux de la tête.

– On se contentera du reste.

L'acarien regarde dans tous les sens, fou de rage. Son nœud papillon tressaute sous son menton.

– Vous êtes cinglés.

– Entrons, monsieur Kaak. Mieux vaut avoir affaire aux oreilles des murs qu'aux satellites.

Il nous toise verticalement et marmonne :

– Pour des gens de la police, vous êtes décevants. Vos manières n'ont rien à envier aux agissements des délinquants.

Nous le bousculons dans un salon deux fois plus grand que mon F-3. D'une main dédaigneuse il nous désigne des canapés, se met sur la pointe des pieds pour reposer une fesse sur l'accoudoir d'un fauteuil et ramène ses doigts de poupée sur ses hanches.

– Faites vite, j'ai un bain à prendre.

Yasmina Khadra, *Double blanc*, Paris,

Pour mieux comprendre

Un flic (familier) : un policier.
PDG : Président Directeur Général.
Une haleine avinée : le souffle qui sort de la bouche sent le vin.
Ronger : brûler les yeux (**prunelles**) ; provoquer un mal de ventre, « manger » les **tripes** (les intestins).
Un zèle : Kaak fait exactement ce qui lui est demandé.
Opiner du chef : dire « oui » avec la tête.
Défoncer : enfoncer une **porte** (une **lourde**, mot familier).
Un nabot (péjoratif) : une personne très petite.
Botter le derrière (familier) : donner un coup de pied dans les fesses.
Coûter les yeux de la tête (expression) : coûter très cher.
Un acarien : un tout petit insecte parasite qui provoque des maladies ; l'autre nom donné à Kaak par Llob.
Tressauter : sursauter.
Les oreilles des murs : jeu de mots avec l'expression « les murs ont des oreilles » : des gens écoutent ce qui est dit. Les **satellites** surveillent les gens et peuvent les tuer.
Toiser : regarder avec mépris.
F-3 : un appartement de 3 pièces.

ACTIVITÉS

Découverte

1. Regardez le texte : comment est-il composé ?
2. Quel est le titre du livre ? Comment le comprenez-vous (pensez à la symbolique des couleurs) ?
3. Lisez le chapeau (au-dessus du texte) : présentez les personnages et la situation.
4. Lisez la première phrase : c'est le commissaire Llob qui dit « je ». Quel geste fait-il ? Expliquez « ma veste de gagne-pas-assez » : qu'est-ce qui est sous-entendu ?

Exploration

1. Lisez le texte. Numérotez les répliques. Comment s'appelle le suspect ? Quel mot ajoute-t-il quand l'inspecteur lui pose sa première question et pourquoi ?

   ....

2. Comment se présente le suspect ? À travers ce personnage et celui du commissaire, quelles classes sociales sont en présence ?

   ....

   ....

3. Que veulent le commissaire Llob et Ewegh ? Dans quel lieu désirent-ils faire cela et pourquoi (appuyez-vous sur « Mieux vaut (…) satellites. ») ? Quelle indication est donnée sur le climat social en Algérie dans les années 1990 ?

   ....

   ....

4. Que répond Kaak (réplique 6) ? Pour vous, que cherche-t-il à faire ? Que fait alors Ewegh et quelles sont les réactions de Kaak ? Commentez « Je suis certain (…) autant ».

   ....

   ....

5. Par quels autres mots le commissaire appelle-t-il Kaak ? Comment le considère-t-il ? Complétez le portrait du personnage en vous aidant de l'avant-dernier paragraphe.

   ....

   ....

6. Relisez le texte et dites pourquoi cet extrait de roman policier est aussi une critique sociale.

   ....

   ....

7. « Faites vite, j'ai un bain à prendre » : imaginez une suite à ce passage.

   ....

   ....

Driss Chraïbi

(El-Djadida, Maroc, 1926 – Crest [Drôme], France, 2007)

C'est l'un des plus grands auteurs marocains de langue française. Il est né à Mazagan (aujourd'hui El-Djadida). Il va au lycée à Casablanca puis étudie la chimie en France. En 1954 paraît son premier roman qui fera date dans l'histoire de la littérature maghrébine d'expression française, *Le Passé simple*, livre qui évoque, dans un style d'une rare violence, la révolte contre la loi paternelle et le poids des traditions. La critique française lui fait bon accueil mais l'ouvrage est jugé sévèrement par les intellectuels marocains qui accusent Chraïbi de trahir son pays. L'auteur rédigera une lettre de reniement sur laquelle il reviendra ensuite. Dans *Les Boucs* (1956), il s'attaque à l'exploitation des immigrés maghrébins en France. Sont publiés ensuite de nombreux romans dont *La Civilisation ma mère !* (1972), *La mère du printemps* (1982, prix Mondello pour sa traduction en Italie). À travers l'inspecteur Ali, personnage sarcastique et drôle, Chraïbi poursuit avec humour, ironie et liberté de ton sa critique de la société maghrébine face au monde occidental : *L'inspecteur Ali, L'inspecteur Ali à Trinity College, L'inspecteur Ali et la CIA*. Son œuvre a été couronnée par de nombreux prix : prix littéraire de l'Afrique méditerranéenne en 1973, prix de l'amitié franco-arabe en 1981.

L'homme qui venait du passé

Au Maroc, dans la Médina (la vieille ville) de Marrakech, un homme a été tué. L'inspecteur Ali et Mohamed, son adjoint, interrogent un jardinier qui travaille dans la Médina.

– Et le mort ? demanda-t-il d'un ton suave.

– Le mort ?... Ah ! le cadavre dans le puits ?

– Lui-même, en chair et en os. Xactement. Que je te rappelle les faits, s'ils sont devenus confus dans ta tête ! Tu es venu mercredi dernier. Les étrangers avaient vidé les lieux la veille. Qu'est-ce qui a guidé tes pas vers le puits, hey ?

– Je ne sais pas, monsieur l'inspecteur.

– L'instinct peut-être ? Tu as entendu parler de l'instinct, j'imagine ? Les animaux en ont beaucoup, les humains deux ou trois.

– L'instinct est cette petite parcelle de la lumière divine qu'Allah a placée en chacune de ses créatures, expliqua Mohamed d'un ton docte. C'est écrit dans le Coran.

– T'as entendu parler du Coran au moins ? demanda Ali

– Oui, bien sûr, monsieur l'inspecteur. Comme tout le monde. Mais je ne sais pas lire.

– Comme tout le monde, renchérit Ali. On sait qu'il existe un bouquin intitulé le Coran, mais on ne l'ouvre presque jamais. C'est comme ce vieux puits. Il est tari depuis longtemps et tu le sais depuis longtemps. Et donc, tu t'es penché par-dessus et tu n'as pas vu d'eau dedans. Tu y as vu un cadavre.

– Oui. Un cadavre.

– Qu'est-ce que tu as fait ensuite ? Raconte, geste par geste. Les faits.

– J'ai couru chercher l'échelle. La grande échelle, bien sûr. Je l'ai balancée dans le puits, je suis descendu et j'ai remonté le pauvre homme sur mon dos. Ça n'a pas été facile, vu qu'il était tout raide. C'était un musulman.

– Ah bon ? Explique-moi ça.

– Il était tout nu. Son zeb... (...)

Driss Chraïbi, *L'homme qui venait du passé*, Paris, © Éditions Denoël, 2004.

Pour mieux comprendre

Un ton suave : un ton doux, agréable.
Un cadavre : le mort retrouvé dans un **puits**, un trou profond dans lequel il y a de l'eau.
En chair et en os : physiquement réel, en personne.
Xactement : exactement.
Les faits : ce qui s'est passé.
Confus : qui n'est pas clair.
Les étrangers : les personnes qui logeaient à la Médina et qui sont parties (**vidé les lieux**).
La veille : un jour avant.
L'instinct : l'intuition, ce qui ne passe pas par le raisonnement.
Une parcelle : une petite partie.
Docte : qui sait beaucoup de choses, savant.
Allah : Dieu pour les croyants musulmans ; le livre sacré de l'islam est le **Coran**.
Renchérir : insister.
Tari : qui n'a plus d'eau, sec.
Raide : rigide, dur (la personne est morte).
Le zeb (mot arabe) : le sexe masculin.

ACTIVITÉS

Découverte

1. Comment comprenez-vous le titre du livre d'où est extrait ce passage ?
2. Observez la forme du texte : comment est-il composé ?
3. Lisez le chapeau (au-dessus du texte) : présentez les personnages, ce qu'ils font, le lieu et la situation.
4. Repérez dans le texte tous les noms propres qui renvoient au lieu/pays dont il est question.
5. Lisez le texte : que comprenez-vous ? Mettez les noms des personnages devant chaque réplique.

Exploration

1. Répliques 1 à 3 : de qui parle l'inspecteur ? Que rappelle-t-il au jardinier et que cherche-t-il à savoir ?

   ....

   ....

2. Que signifie l'expression « en chair et en os » ? À quel jeu de mots s'amuse l'inspecteur ?

   ....

   ....

3. Quand le jardinier dit qu'il ne sait pas pourquoi il est allé vers le « puits », que lui répond l'inspecteur ? Que fait Mohamed ? Quel lien établissez-vous entre ces propos et l'enquête ?

   ....

   ....

   ....

4. « T'as entendu (...) vu un cadavre. » : suivez le raisonnement d'Ali. Où est la logique dans cet interrogatoire ? Qu'est-ce qui est comique dans cette partie ?

   ....

   ....

   ....

5. Comment le jardinier peut-il dire que le « mort » est musulman ?

   ....

   ....

6. Comparez la figure de l'inspecteur dans les extraits de Simenon, Khadra, Chraïbi et Gary Victor.

   ....

   ....

   ....

Meurtre à Byzance

Julia Kristeva

(Sliven, Bulgarie, 1941)

C'est en 1964 qu'elle arrive en France, participe à la revue littéraire *Tel Quel* et fréquente Michel Foucault, Roland Barthes, Jacques Derrida, Philippe Sollers... Elle invente la notion *d'intertextualité*. Elle suit les séminaires de Jacques Lacan, devient psychanalyste en 1979, puis se spécialise en théorie du langage. Elle enseigne la sémiologie à l'Université d'État de New York et à l'université Paris 7 Denis Diderot. Elle dirige le Centre Roland Barthes, où enseignants-chercheurs et doctorants travaillent sur les textes littéraires dans une dimension interdisciplinaire. Son œuvre aborde de nombreux domaines : le pouvoir du langage, *La Révolution du langage poétique*, la réflexion sur l'horreur, l'abjection et la dépression avec la trilogie : *Pouvoirs de l'horreur, Histoires d'amour* et *Soleil noir*. Elle écrit des essais : *Étrangers à nous-mêmes, La Haine et le Pardon*... publie une trilogie sur *Le Génie féminin*, consacrée à *Hannah Arendt, Mélanie Klein* et *Colette*. Julia Kristeva s'est aussi illustrée dans la critique d'art et le roman : *Les Samouraïs, Le vieil homme et les loups, Possession, Meurtre à Byzance*.

Le professeur Sebastian Chrest-Jones a disparu. Son assistant, Minaldi, pense qu'il est mort. Le commissaire Rilsky raconte les derniers éléments de l'enquête à sa maîtresse, la journaliste Stéphanie Delacour.

– On a mis la main sur la voiture de Fa Chang, l'assistante de Sebastian, tu sais, la jeune femme qui a disparu presque en même temps que lui. Dans le lac de Stony Brook. Aucune trace du corps pour l'instant, on va draguer le lac. Autre chose : Minaldi croit que Sebastian est vraiment mort, parce que, figure-toi, ma chérie, ce gigolo d'assistant ne se gêne pas pour pénétrer dans l'ordinateur de Chrest, et comme il constate que le professeur ne s'en est pas servi depuis sa disparition, il en déduit que... puisqu'un professeur qui n'utilise pas son ordinateur est un professeur mort, donc Sebastian Chrest-Jones est mort. Voilà sa logique, à ce Minaldi !

Stéphanie regarda son amant d'un air hagard et incrédule, atterrée de descendre des cimes de la conversation de la veille, chez l'ambassadeur, aux cogitations de ce minus.

– Ce petit apprenti détective est aussi abject au moral qu'il est laid au physique, tu ne trouves pas ? Laisse-le là à ses désirs de croque-mort envieux. Moi, j'ai une autre idée, tu veux m'écouter ? J'ai compulsé toutes les notes et les documents vidéo de ton parent historien, tu sais, ses disquettes et fichiers d'avant sa disparition, que tes services ont imprimés et que tu es supposé étudier.

– Mm... (De peur, ou d'espoir, Rilsky sentit sa gorge se nouer : Stéphanie aurait-elle découvert un indice ? la piste du purificateur ? un recoupement avec Numéro Huit ? Le commissaire contemplait la journaliste, blême et muet.)

– Si, si, je sais que tu y as jeté un coup d'œil, mais je t'assure, ça vaut davantage. Eh bien, je peux te dire qu'une chose est sûre, cher commissaire : Sebastian Chrest-Jones était amoureux d'Anne Comnène ! (Stéphanie, sans l'ombre d'un rire, ne se doutant de rien et qui en avait oublié Numéro Huit.)

Ayant considéré Mlle Delacour, jusqu'à cet instant, comme une femme plutôt raisonnable, quoique passionnée et tant mieux, Rilsky la regarda brusquement avec une tendresse appuyée, signe chez lui d'une méfiance suprême. Décidément, on ne pouvait compter sur personne dans cette fichue enquête !

Julia Kristeva, *Meurtre à Byzance*, Paris, © Éditions Fayard, 2004.

Pour mieux comprendre

Draguer : nettoyer, racler le fond du lac.

Un gigolo : un homme qui vit de l'argent d'une femme plus âgée que lui.

Hagard : inquiet, qui a peur.

Incrédule : qui ne croit pas.

Atterrée (...) ce minus : Stéphanie est étonnée de la différence qu'il y a entre une discussion intelligente avec l'ambassadeur et ce que raconte Minaldi, qu'elle trouve idiot.

Abject : qui est mauvais.

Laid : qui n'est pas beau.

Un croque-mort : une personne qui s'occupe de l'enterrement des morts.

Compulser : consulter, examiner.

Numéro Huit : le nom du tueur en série (*serial killer*). Il est aussi appelé le **purificateur**.

Blême : d'une couleur blanche.

Anne Comnène : née en 1083, fille de l'empereur byzantin Alexis Ier. Elle est considérée par Sebastian Chrest-Jones comme la première intellectuelle de l'Histoire.

Quoique : bien que.

La méfiance : le fait de ne pas faire confiance.

ACTIVITÉS

Découverte

1 Quel est le titre du livre d'où est extrait ce passage ? De quel lieu s'agit-il ? Quel peut être le genre littéraire de ce texte ?

2 Qui est l'auteur de ce livre ? Que savez-vous sur cette personne (aidez-vous de la biographie) ?

3 Lisez le chapeau (au-dessus du texte) : qui sont les personnages et quelle est leur relation ? Présentez la situation.

4 Complétez la liste des personnages en vous aidant de la première phrase.

5 Lisez le texte. Que comprenez-vous ? Qui parle et à qui ? De quel autre personnage est-il question (aidez-vous de « Pour mieux comprendre ») ?

Exploration

1 Qui est Fa Chang et que lui est-il arrivé ? Quel objet a permis de retrouver sa piste et où se trouvait-il ?

....

2 Qu'est-ce qui n'a pas été retrouvé ? Que va-t-on faire ?

....

3 « Autre chose (...) ce Minaldi ! » : selon Rilsky, que croit Minaldi ? Sur quoi se base-t-il pour affirmer cela ? Que pensez-vous de son raisonnement ?

....

4 Réplique 1 de Stéphanie : quels mots et expressions emploie-t-elle pour parler de Minaldi ? Quel autre mot renvoie à cette idée (fin du paragraphe 2) ? Comment le considère-t-elle ?

....

5 « J'ai compulsé (...) étudier. » : le « parent historien » est le professeur disparu. Qu'a fait Stéphanie ? Comment comprenez-vous la fin de sa phrase ? Rilsky a-t-il fait son travail de commissaire ? Justifiez votre réponse.

....

6 Dans les deux dernières répliques, que croit le commissaire et comment réagit-il ? De quoi a-t-il peur ? Que lui annonce en fait la journaliste ?

....

7 Qu'est-ce qui est surprenant dans la découverte de Stéphanie ? À votre avis, quel lien peut exister entre cette découverte et la disparition du professeur ?

....

8 Qui dit la dernière phrase ? Quel regard le commissaire porte-t-il maintenant sur la journaliste (pensez à leur relation) ? Imaginez ce qu'il lui répond.

....

....

Les cloches de La Brésilienne

Gary Victor

(Port-au-Prince, Haïti, 1958)

Il fait d'abord des études d'agronomie puis travaille en tant que journaliste. Il écrit pour la radio, la télévision et le cinéma. Dans ses nouvelles et romans, ses personnages portent un regard critique sur la société haïtienne déchirée par la violence et la corruption. Dans *Les cloches de La Brésilienne*, le lecteur découvre une société qui vit entre l'imaginaire et le réel, où le fantastique est vécu au quotidien. L'inspecteur Azemar Dieuswalwe est le seul personnage qui soit resté honnête, qui ne s'est pas enrichi et qui se pose beaucoup de questions. G. Victor publie aussi *À l'angle des rues parallèles, Je sais quand Dieu vient se promener dans mon jardin*. En 2001, il a reçu la médaille de l'Ordre de chevalier du mérite de la République française pour la qualité de son œuvre.

Né à Port-au-Prince, Gary Victor est incontestablement l'un des romanciers haïtiens les plus lus dans son pays. Outre son travail d'écriture, il est aussi scénariste pour la radio, la télévision et le cinéma. Ses créations explorent sans complaisance aucune le mal-être haïtien pour tenter de trouver le moyen de sortir du cycle de la misère et de la violence. Il a obtenu en 2003 le prix du Livre insulaire pour *À l'angle des rues parallèles* et en 2004 le prix RFO pour *Je sais quand Dieu vient se promener dans mon jardin.*

À la criminelle, on a toujours confié à l'inspecteur Azémar Dieuwalwe les enquêtes les plus farfelues. Il faut dire que son goût immodéré pour le *tranpe*, boisson haïtienne explosive concoctée avec de l'alcool de canne, des racines, des feuilles ou des écorces, ne le rend pas très fiable aux yeux de ses supérieurs. Mais jamais il n'aurait pensé qu'il serait envoyé dans ce bled perdu de La Brésilienne, au fin fond de la campagne haïtienne pour essayer de résoudre l'énigme de l'enlèvement… du son des cloches d'une église. Les cloches sont bien là, mais elles ne sonnent plus, voilà. Seulement, du son de ces cloches dépend l'issue de la guerre terrible que se livrent le député et le maire… Alors, comment se débrouiller quand on est une épave alcoolique et que l'on est aux prises avec un curé breton devenu insomniaque, une Dominicaine à la beauté torride qui vous tombe dans les bras alors qu'elle est convoitée par les deux plus hautes autorités du village, un pasteur prêt à tout pour accroître son pouvoir, une société secrète pas commode du tout… et ce *tranpe* qui décidément provoque un mal de tête… carabiné !

Pour le plus grand bonheur de ses lecteurs, Gary Victor, lauréat du Prix RFO 2004 pour son roman *Je sais quand Dieu vient se promener dans mon jardin*, plonge dans le polar avec une jubilation communicative et cette imagination débordante qu'on lui connaît !

Vents d'ailleurs

Gary Victor, *Les cloches de La Brésilienne*,
La Roque d'Anthéron, © Éditions Vents d'ailleurs, 2006.

Pour mieux comprendre

La criminelle : la police qui s'occupe des crimes, des meurtres.
Farfelu(e) : qui est bizarre.
Fiable : qui est fidèle, sérieux.
Un bled perdu (mot arabe) : un endroit perdu, peu fréquenté.
Une issue : une sortie, une solution.
Se débrouiller : se sortir d'une situation difficile.
Une épave : ici, une personne qui va très mal, qui boit trop.
Être aux prises avec : se battre avec.
Une Dominicaine : une femme de l'île de Saint-Domingue. Elle est aimée du **maire** et du **député**, les **deux plus hautes autorités du village**.
Pas commode : pas facile.
Carabiné : qui est fort, violent.
Un polar (familier) : un roman policier.
Une jubilation : une très grande joie.

ACTIVITÉS

Découverte

1. Observez la page. Quel document vous est proposé ?
2. Selon vous, à quoi peuvent correspondre les différentes parties ? Où se trouve le titre du roman ? Quelles autres indications vous sont données ?
3. Lisez le document et vérifiez vos hypothèses sur le contenu de chaque partie.
4. Quelles sont les fonctions de ce document ?

Exploration

1. Première phrase du résumé : repérez les mots qui indiquent le genre littéraire de ce roman. Lisez à haute voix le nom du personnage principal : écrivez ce que vous entendez. Que remarquez-vous ?

   ....

2. Dans quel lieu est-il envoyé ? Comment est qualifié ce lieu et dans quel pays se trouve-t-il ?

   ....

3. De quels autres personnages et de quelle organisation est-il question ? Qu'ont-ils de particulier ?

   ....

   ....

4. Dans quel but l'inspecteur Azemar est-il envoyé à La Brésilienne ? Qu'est-ce qui a été « enlevé » ? Commentez la situation.

   ....

5. Soulignez les mots/groupes de mots qui concernent l'inspecteur : quel genre de personnage est-il ? Comment est-il considéré par ses supérieurs ?

   ....

   ....

6. « Seulement (...) du maire. » : en vous aidant de « Pour mieux comprendre », dites ce qui se joue derrière ce mystère. Que dénonce Gary Victor ?

   ....

   ....

7. La présentation de ce roman vous donne-t-elle envie de le lire ? Développez votre réponse.

   ....

   ....

8. Réalisez la 4e de couverture d'un roman policier où le personnage principal serait complètement farfelu.

   ....

Mouloud Feraoun

(Tizi Hibel, Algérie, 1913 – El-Biar, Algérie, 1962)

Il est né en Kabylie dans une famille de paysans pauvres. En 1910, son père part travailler dans les mines de charbon en France. Le jeune Mouloud est scolarisé à l'âge de sept ans puis, grâce à une bourse, il continue ses études au collège de Tizi-Ouzou. Il est reçu au concours d'entrée à l'École normale de Bouzaréa (Alger), où il fait la connaissance de l'écrivain E. Roblès. En 1935, il devient instituteur, puis directeur d'école et enfin inspecteur des centres sociaux créés par Germaine Tillion et par l'UNESCO en 1955, afin d'alphabétiser et former les Algériens les plus défavorisés. En 1951, il commence une correspondance avec A. Camus.

Ses écrits explorent avec tendresse et pudeur la vie humble des Berbères, partagés entre tradition et aspiration au progrès: *Le Fils du pauvre* (1950), *La terre et le sang* (1953), *Jours de Kabylie* (1954), *Les chemins qui montent* (1957).

Lecteur passionné, humaniste convaincu, Feraoun, comme Camus, a toujours rêvé de fraternité. Quelques jours avant les accords d'Évian, qui reconnaissent la souveraineté de l'État algérien, il est assassiné par l'OAS (Organisation Armée Secrète), qui s'oppose à la politique algérienne du général de Gaulle. 45 ans après sa mort, paraît un dernier roman mettant en scène la relation entre un Algérien et une Française: *La Cité des roses*.

Le Fils du pauvre

En Algérie, dans les années 1930, le jeune Fouroulou, algérien-berbère, écrit à son père qui est parti travailler en France.

La troisième lettre qu'écrivit Fouroulou à son père commençait ainsi: « C'est avec joie que je t'écris pour t'annoncer que je suis admis au certificat... ». Cette formule apprise à l'école, lors d'un compte rendu de rédaction – « supposez que vous êtes reçu, vous annoncez la nouvelle à un ami » – lui parut belle en elle-même et digne d'être lue à Paris. Comme elle traduisait la réalité, elle lui parut plus belle encore et digne de sortir de la plume d'un nouveau diplômé. Il était fier à l'avance de l'effet qu'elle produirait sur « l'écrivain » de son père.

Il venait de réussir au certificat avec deux de ses camarades. L'examen avait eu lieu à Fort-National, à une vingtaine de kilomètres du village, une vraie ville, avec beaucoup de Français, de grands bâtiments, de belles rues, de beaux magasins, des voitures roulant toutes seules. Ce n'était plus Tizi. Tout lui parut beau, propre, immense. Et penser que les gens disent que c'est un petit village ! Il eut le temps de visiter la ville car il s'y rendit la veille de l'examen. Il fut surpris et heureux de constater qu'il savait le français. Il était étonné d'entendre des gamins parler aussi bien que lui mais avec un accent beaucoup plus agréable.

Aujourd'hui encore il entend l'appel des candidats: voilà l'inspecteur, les examinateurs, beaucoup de roumis authentiques. Il est en classe, devant une rédaction et des problèmes. Il reprend ses esprits, fait de son mieux, réussit, passe l'oral. Où est sa timidité habituelle ? Il répond, il n'a pas peur, ce n'est plus le même, son maître ne le reconnaîtrait pas.

Mouloud Feraoun, *Le Fils du pauvre*, Paris, © Éditions du Seuil, 1950.

Pour mieux comprendre

Être admis: être reçu à un examen, avoir réussi le **certificat**, être **diplômé**.

Être fier: avoir beaucoup de joie, être très content.

« l'écrivain »: la personne qui écrit les lettres du père qui ne sait ni lire ni écrire.

Fort-National: une ville au centre de la Grande Kabylie, en Algérie.

Tizi: Tizi Ouzou, ville d'Algérie, située en Grande Kabylie.

La veille: le jour avant.

Un gamin: un enfant.

Un roumi: dans la langue berbère, c'est un Français.

Reprendre ses esprits: revenir à la réalité.

La timidité: le fait de ressentir de la honte, de la gêne; ne pas oser faire quelque chose.

ACTIVITÉS

Découverte

1. Quelles remarques pouvez-vous faire à partir du titre de l'œuvre d'où ce passage est extrait ? Qui est le *pauvre* ?
2. Lisez le chapeau (au-dessus du texte) : dites où et quand se passe l'histoire. Qui sont les personnages et que fait l'un d'eux ? Quelle est la situation et pourquoi ?
3. Que savez-vous de la situation du pays à cette époque-là ?
4. Lisez le texte : à quelle personne est-il écrit ? De quoi est-il question ?

Exploration

1. Paragraphe 1 : à quoi correspond la première phrase entre guillemets ? Où Fouroulou a-t-il appris cette formule et dans quelle circonstance ?

   ....

2. Comment Fouroulou considère-t-il cette formule et pourquoi (aidez-vous des adjectifs répétés) ? Pourquoi est-il « fier » ? Qui est « l'écrivain » de son père et pourquoi ce dernier en a-t-il besoin ?

   ....

3. Paragraphe 2 : de quel événement important est-il question et où se passe-t-il ? Que découvre le garçon dans ce lieu ? En utilisant ce que vous avez trouvé, décrivez le village de Fouroulou.

   ....

4. Analysez le style des phrases (adjectifs, répétitions, accumulation...) : quel est l'effet produit ? De quoi s'étonne Fouroulou dans les deux dernières phrases ? Qu'est-ce que cela montre du milieu social dans lequel il vit ?

   ....

5. Paragraphe 3 : à quel moment exact l'adverbe « aujourd'hui » fait-il référence ? Quel est le temps dominant et à quels temps s'oppose-t-il dans le reste du texte ? Quel est l'effet produit par cette rupture ?

   ....

6. Qui fait passer les examens aux élèves algériens ? De quelle sorte d'école s'agit-il (reportez-vous au contexte historique) ?

   ....

7. Finalement, qu'est devenu *le fils du pauvre* ?

   ....

8. Le père répond à son fils : vous êtes « l'écrivain » du père. Rédigez la lettre.

   ....

   ....

   ....

L'enfant noir

Camara Laye

(Kouroussa, Haute-Guinée, 1928 – Paris, 1980)

Son enfance est influencée par le mode de vie du peuple Malinké, dont il est issu. Il suit des cours à l'école française puis quitte famille et village afin d'étudier à Conakry. Il obtient une bourse pour poursuivre des études à Paris, où il connaît la solitude des métropoles occidentales. Seul et sans soutien, il est obligé de travailler (ouvrier dans le métro et dans une usine de voitures). Il suit une formation au Conservatoire National des Arts et Métiers. En 1953 paraît *L'enfant noir*, une autobiographie romancée qui reçoit le prix Charles Veillon. Influencé par la lecture de Kafka, il écrit *Le Regard du roi* (1954). En 1956, il retourne dans son pays, est nommé fonctionnaire au ministère de l'Information jusqu'en 1963. Il s'installe ensuite au Sénégal. Son troisième roman, *Dramouss* (1966), est un violent réquisitoire contre le régime de Sékou Touré (président de la Guinée de 1959 à 1984, devenu un tyran). Exilé, malade, Camara Laye reste silencieux pendant 12 ans avant de publier son dernier livre : *Le Maître de la parole* (1978).

Le narrateur, un jeune garçon, a terminé sa scolarité à Conakry (Guinée), loin de son village. Le directeur de l'école lui conseille de poursuivre ses études en France. Accompagné de son père, l'enfant va voir sa mère, qui répond :

– Si c'est pour le départ du petit en France, inutile de m'en parler, c'est non !

– Justement, dit mon père. Tu parles sans savoir : tu ne sais pas ce qu'un tel départ représente pour lui.

– Je n'ai pas envie de le savoir ! dit-elle.

Et brusquement elle lâcha le pilon et fit un pas vers nous.

– N'aurai-je donc jamais la paix ? dit-elle. Hier, c'était une école à Conakry ; aujourd'hui, c'est une école en France ; demain... Mais que sera-ce demain ? C'est chaque jour une lubie nouvelle pour me priver de mon fils !... Ne te rappelles-tu déjà plus comme le petit a été malade à Conakry ? Mais toi, cela ne te suffit pas : il faut à présent que tu l'envoies en France ! Es-tu fou ? Ou veux-tu me faire devenir folle ? Mais sûrement je finirai par devenir folle !... Et toi, dit-elle en s'adressant à moi, tu n'es qu'un ingrat ! Tous les prétextes te sont bons pour fuir ta mère ! Seulement, cette fois, cela ne va plus se passer comme tu l'imagines : tu resteras ici ! Ta place est ici !... Mais à quoi pensent-ils dans ton école ? Est-ce qu'ils se figurent que je vais vivre ma vie entière loin de mon fils ? Mourir loin de mon fils ? Ils n'ont donc pas de mère, ces gens-là ? Mais naturellement ils n'en n'ont pas : ils ne seraient pas partis si loin de chez eux s'ils en avaient une !

Et elle tourna le regard vers le ciel, elle s'adressa au ciel :

– Tant d'années déjà, il y a tant d'années déjà qu'ils me l'ont pris ! dit-elle. Et voici maintenant qu'ils veulent l'emmener chez eux !...

Et puis elle baissa le regard, de nouveau elle regarda mon père :

– Qui permettrait cela ? Tu n'as donc pas de cœur ?

– Femme ! femme ! dit mon père. Ne sais-tu pas que c'est pour son bien ?

– Son bien ? Son bien est de rester près de moi ! N'est-il pas assez savant comme il est ?

– Mère... commençai-je.

Mais elle m'interrompit violemment :

– Toi, tais-toi ! Tu n'es encore qu'un gamin de rien du tout ! Que veux-tu aller faire si loin ? Sais-tu seulement comment on vit là-bas ?... Non, tu n'en sais rien ! Et, dis-moi, qui prendra soin de toi ? Qui réparera tes vêtements ? Qui te préparera tes repas ?

– Voyons, dit mon père, sois raisonnable : les Blancs ne meurent pas de faim !

– Alors tu ne vois pas, pauvre insensé, tu n'as pas encore observé qu'ils ne mangent pas comme nous ? Cet enfant tombera malade ; voilà ce qui arrivera ! Et moi alors, que ferai-je ? Que deviendrai-je ? Ah ! j'avais un fils, et voici que je n'ai plus de fils !

Camara Laye, *L'enfant noir*, Paris, © Éditions Plon, 1953.

Pour mieux comprendre

Brusquement : d'une manière brutale.

Le pilon : un instrument en bois qui sert à écraser du blé, du mil, des céréales.

Fit : v. *faire* au passé simple.

Une lubie : une idée subite, folle.

Ingrat : qui est égoïste.

Un prétexte : une excuse.

Se figurer : croire, imaginer.

Interrompit, v. *interrompre*, passé simple : couper la parole à quelqu'un.

ACTIVITÉS

Découverte

1. Faites des hypothèses de lecture à partir du titre du roman d'où ce passage est extrait.
2. Observez le texte : comment est-il composé ?
3. Lisez le chapeau : présentez les personnages, la situation. Dans quel pays se déroule l'action ?
4. Lisez le texte. Quel personnage semble dominant ? Numérotez les répliques.

Exploration

1. Quelle est la décision de la mère dès qu'elle voit arriver son mari et son fils ?

   ....

2. Selon vous, pour le père, qu'est-ce qu'un tel départ peut « représenter » pour son fils ?

   ....

3. Réplique 4 : lorsqu'elle parle au père, quels exemples la mère donne-t-elle pour défendre son point de vue ? Que reproche-t-elle à son mari ?

   ....

4. Lorsqu'elle s'adresse à son fils, comment le traite-t-elle et pourquoi (aidez-vous de « Pour mieux comprendre ») ? Que lui reproche-t-elle ? Que lui impose-t-elle ?

   ....

5. « Est-ce qu'ils se figurent (...) mourir loin de mon fils ? » : au moment de parler de l'avenir du fils, à qui pense la mère ? Que pensez-vous de sa position ?

   ....

   ....

6. Répliques 4-5 : soulignez les phrases où il est question de « ils ». Qui le mot « ils » représente-t-il pour la mère ? Que reproche-t-elle à « ils » ? Comprenez-vous ses reproches ? Développez votre réponse.

   ....

   ....

7. Répliques 7 à 12 : sur quels points s'opposent le père et la mère ? Qu'est-ce que ces désaccords montrent de leur attitude face à l'avenir de l'enfant ?

   ....

   ....

8. Dans cette discussion, les parents semblent oublier le petit garçon. Imaginez ce qu'il répondrait si on lui demandait son avis.

   ....

   ....

Quoi ? L'Éternité

Marguerite Yourcenar

(Bruxelles, Belgique, 1903 – Ile des Monts-Déserts, E-U, 1987)

Elle est née dans une famille aristocratique. Sa mère meurt après sa naissance. Elle est élevée par un père anticonformiste qui lui fait découvrir l'Europe. La Grèce devient l'une de ses patries spirituelles. Son premier livre, *Le Jardin des Chimères*, paraît en 1921, puis *Alexis ou le traité du vain combat*, en 1929.
La Seconde Guerre mondiale la force à l'exil aux USA, où elle s'installe définitivement dans l'île des Monts-Déserts.
Elle connaît le succès avec *Mémoires d'Hadrien* (1951), fausse autobiographie de l'empereur romain helléniste du IIe siècle, se présentant sous forme d'une longue lettre adressée à son successeur Marc Aurèle. *L'Œuvre au Noir* (1968) est l'histoire « d'un homme intelligent et persécuté » au XVIe siècle. Elle choisit la distance de l'Histoire pour mieux parler de l'être humain, à travers une écriture classique et épurée. *Quoi ? L'Éternité* fait partie d'une trilogie familiale, *Le Labyrinthe du Monde*, qui comprend aussi *Souvenirs pieux* et *Archives du Nord*.
En 1980, elle est la première femme élue à l'Académie française.

À Paris, vers 1912. La narratrice, une petite fille, parle de son éducation que se partagent sa gouvernante et son père Michel.

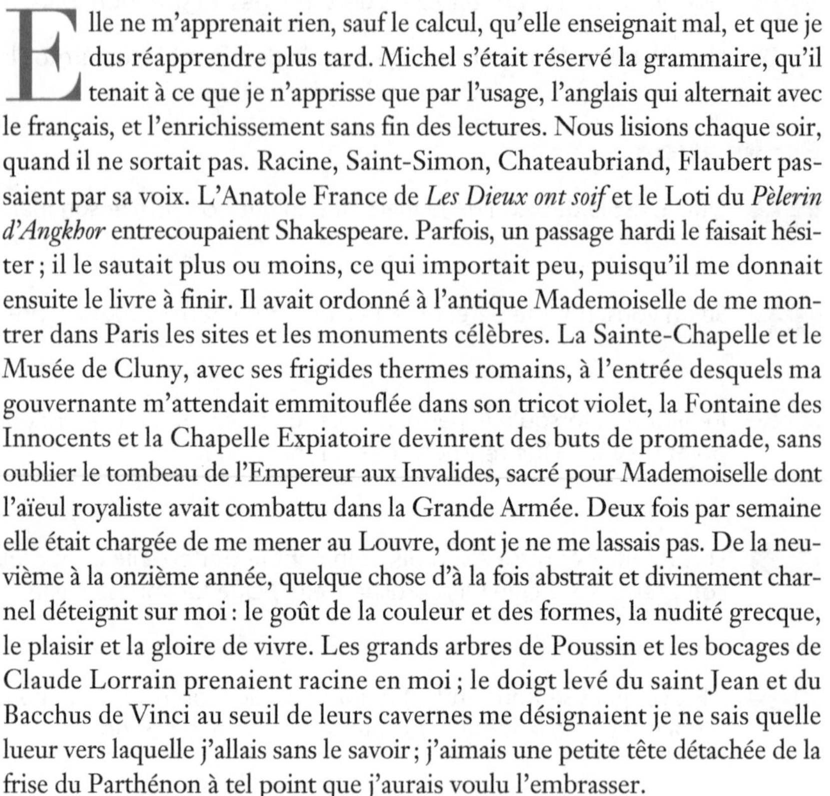

Elle ne m'apprenait rien, sauf le calcul, qu'elle enseignait mal, et que je dus réapprendre plus tard. Michel s'était réservé la grammaire, qu'il tenait à ce que je n'apprisse que par l'usage, l'anglais qui alternait avec le français, et l'enrichissement sans fin des lectures. Nous lisions chaque soir, quand il ne sortait pas. Racine, Saint-Simon, Chateaubriand, Flaubert passaient par sa voix. L'Anatole France de *Les Dieux ont soif* et le Loti du *Pèlerin d'Angkhor* entrecoupaient Shakespeare. Parfois, un passage hardi le faisait hésiter ; il le sautait plus ou moins, ce qui importait peu, puisqu'il me donnait ensuite le livre à finir. Il avait ordonné à l'antique Mademoiselle de me montrer dans Paris les sites et les monuments célèbres. La Sainte-Chapelle et le Musée de Cluny, avec ses frigides thermes romains, à l'entrée desquels ma gouvernante m'attendait emmitouflée dans son tricot violet, la Fontaine des Innocents et la Chapelle Expiatoire devinrent des buts de promenade, sans oublier le tombeau de l'Empereur aux Invalides, sacré pour Mademoiselle dont l'aïeul royaliste avait combattu dans la Grande Armée. Deux fois par semaine elle était chargée de me mener au Louvre, dont je ne me lassais pas. De la neuvième à la onzième année, quelque chose d'à la fois abstrait et divinement charnel déteignit sur moi : le goût de la couleur et des formes, la nudité grecque, le plaisir et la gloire de vivre. Les grands arbres de Poussin et les bocages de Claude Lorrain prenaient racine en moi ; le doigt levé du saint Jean et du Bacchus de Vinci au seuil de leurs cavernes me désignaient je ne sais quelle lueur vers laquelle j'allais sans le savoir ; j'aimais une petite tête détachée de la frise du Parthénon à tel point que j'aurais voulu l'embrasser.

Marguerite Yourcenar, *Quoi ? L'Éternité*, Paris, © Éditions Gallimard, 1988.

Pour mieux comprendre

Dus : v. *devoir* au passé simple.

Que j'apprisse par l'usage, v. *apprendre* à l'imparfait du subjonctif : apprendre en faisant, par expérience.

Entrecouper : ils arrêtent la lecture de Shakespeare pour lire d'autres auteurs, puis reprennent Shakespeare.

Un passage hardi : un extrait osé qui ne doit pas être lu par un enfant.

L'antique Mademoiselle : la gouvernante, la femme qui s'occupe de la petite fille ; elle paraît très vieille à l'enfant.

Frigide : qui est froid.

Les thermes : ce sont les bains publics de l'Antiquité romaine.

Emmitouflé : qui est bien couvert, enveloppé dans des vêtements.

Le tombeau : ici, l'endroit où se trouve le corps de Napoléon.

L'aïeul royaliste : le grand-père qui était du côté du roi, avait servi dans l'armée de Napoléon (la **Grande Armée**).

Se lasser de : s'ennuyer de, être fatigué par.

Déteignit : v. *déteindre*, passé simple ; ici, laisser des traces, influencer.

Le goût : le fait d'aimer quelque chose.

Poussin/Lorrain : des peintres du XVIIe siècle.

Au seuil de leur caverne : à l'entrée de l'endroit où ils vivent ; ici, un trou dans la pierre.

ACTIVITÉS

Découverte

1. Analysez le titre de l'œuvre d'où ce passage est extrait. Comment le comprenez-vous ?
2. Lisez le chapeau (au-dessus du texte) : où se passe l'histoire ? Qui sont les personnages et quelle est leur relation ? À votre avis, de quel milieu social s'agit-il (regardez aussi la biographie) ?
3. Parcourez le texte, relevez des noms propres et classez-les (auteurs, musée, monuments historiques, peintres, Antiquité).
4. Lisez le texte : de quoi parle la narratrice ? À quel genre littéraire appartient cet extrait ?

Exploration

1. Première phrase : qui est désigné par le pronom « elle » ? Que fait « elle » ? Quel est le jugement de la narratrice sur « elle » ? Qu'en pensez-vous ?
2. Soulignez dans la suite du texte tout ce qui concerne cette personne (« l'antique Mademoiselle »). Que devait-elle faire ? Trouvez un plan de Paris et suivez les traces des deux personnages.
3. Quelles matières Michel enseigne-t-il à sa fille ? Quels domaines de connaissance choisit-il ?
4. Repérez l'âge de la petite fille et faites une recherche sur les auteurs qu'elle lit avec son père. Ces lectures sont-elles adaptées à une enfant ? Développez votre réponse.
5. Quel goût la fréquentation du musée du Louvre fait-elle naître chez la narratrice ? Qu'a-t-elle développé au contact des œuvres d'art ?
6. Comment comprenez-vous la métaphore « Les grands arbres (...) en moi. » ?
7. Finalement, quel genre d'éducation Marguerite Yourcenar a-t-elle reçue ?
8. Comparez cet extrait avec celui de Fatou Diome : quels sont leurs points communs et leurs différences ?

Paris-Athènes

Vassilis Alexakis

(Athènes, Grèce, 1943)

À 17 ans, il arrive en France pour suivre les cours de l'École de journalisme de Lille. Ses études finies, il retourne dans son pays. En 1967, après le coup d'état militaire des colonels, il revient vivre en France. Dessinateur, romancier, il a collaboré à plusieurs journaux et radios : *Le Monde, La Croix, France Culture.*

Il a d'abord écrit en grec plusieurs scénarios et un roman, puis a publié ensuite en français. Il parle souvent de sa relation ambiguë avec les deux langues, de son bilinguisme et de sa manière de le pratiquer, l'un des thèmes essentiels de son œuvre. Il est question de la dualité dans *La tête du chat* (1978), d'une réflexion sur le bilinguisme, l'identité et le statut de l'écrivain francophone dans *Paris-Athènes* (1989) : « Le grec est la langue de ma mère, le français celle de mes enfants ». Il publie d'autres récits : *La langue maternelle* (prix Médicis 1995), *Le cœur de Marguerite* (1999), *Les mots étrangers* (2002), *Je t'oublierai tous les jours* (2005), des nouvelles : *Papa* (prix de la Nouvelle de l'Académie française en 1997). L'ensemble de son œuvre a été couronné par le Grand Prix du roman de l'Académie française.
Son dernier roman, *Ap. J.-C.* (2007), est une critique du monothéisme.

C'est à l'Institut français d'Athènes, vers dix ans, que j'ai appris les premiers rudiments du français. Lors d'une fête de fin d'année, déguisé en perroquet, j'avais récité un poème intitulé «Je suis Coco le bavard». On m'avait fait des compliments pour ma prononciation. J'apprenais également l'anglais, dans un autre institut privé. Ces cours avaient lieu le soir, après l'école. Il faisait nuit noire quand je rentrais à la maison. Je voyais de loin la fenêtre éclairée de notre cuisine. Je sifflais toujours le même air pour prévenir ma mère de mon arrivée ; c'était un air allemand, *Lili Marlene*. Mes parents, comme tous les parents grecs, attachaient une grande importance à l'apprentissage des langues, ils savaient sans doute que la Grèce pouvait difficilement vivre repliée sur elle-même. Les langues étrangères représentaient une possibilité d'ouverture et de progrès. Mon premier professeur de français était une femme, elle s'appelait Aspromali, ce qui veut dire *aux cheveux blancs*. Sa sœur habitait au-dessus de chez nous, elle était dentiste.

L'idée que je pourrais être amené un jour ou l'autre à rompre avec le français m'a bouleversé. Renoncer à cette langue dans laquelle je m'exprimais depuis si longtemps serait fatalement prendre congé de moi-même. Je pensais que, si les Français me considéraient comme un auteur grec, mes compatriotes seraient davantage fondés à me classer parmi les étrangers. En effet, j'avais peu écrit dans ma langue maternelle – plusieurs scénarios mais un seul roman – et les séjours que j'effectuais en Grèce, fréquents certes, étaient généralement de courte durée. Mon stylo me fit penser à une hampe à laquelle il manquait un petit drapeau. J'invoquais intérieurement le cas d'autres Grecs qui se sont exprimés dans une langue étrangère. Il en existe plusieurs, le plus célèbre étant Kazantzakis, qui vécut en France et composa certaines de ses œuvres en français. En revanche, je ne voyais guère d'auteurs français ayant usé d'une langue étrangère.

Vassilis Alexakis, *Paris-Athènes*, Paris, © Éditions Stock, 1997.

Pour mieux comprendre

Les premiers rudiments : les premiers éléments, les premières bases.
Lors : pendant.
Déguisé en perroquet : habillé avec des plumes, comme l'oiseau qui répète tout ce que l'on dit. En France, le perroquet est souvent appelé « Coco ».
Siffler un air : faire du bruit avec la bouche, en respectant la musique de la chanson.
Attacher de l'importance à : accorder, donner de l'importance, de la valeur.
Repliée : qui est refermée sur elle-même, qui n'a pas **d'ouverture** sur le monde extérieur.
Rompre : arrêter.
Bouleverser : provoquer une grande émotion.
Renoncer à : abandonner, laisser, arrêter de.
Fatalement : forcément, de manière inévitable.
Prendre congé de : renoncer à ce que l'on est.
Un compatriote : une personne qui est originaire du même pays ; ici, les Grecs.
Seraient (...) fondés : auraient des arguments pour, auraient raison de.
Une hampe : un long bâton sur lequel on peut attacher un drapeau.
Invoquer : faire appel.
Kazantzakis : écrivain grec très célèbre (1883-1957), auteur d'*Alexis Zorba* et *La dernière tentation du Christ.*
Vécut : v. *vivre* au passé simple.

ACTIVITÉS

Découverte

1. Quel est le titre du livre d'où ce passage est extrait ? Commentez-le.
2. Dans la biographie de l'auteur, retrouvez des titres de romans qui ont pour sujet la réflexion sur la langue.
3. Lisez le texte et délimitez les deux paragraphes : quel est le sujet de chacun ?
4. Paragraphe 1, du début jusqu'à « *Lili Marlene* » : quelles langues Alexakis a-t-il apprises et où ? Quel âge avait-il alors ?

Exploration

1. « Mes parents (...) progrès. » : que représente pour les parents grecs l'apprentissage des langues étrangères ? Quelle est leur position (« ils savaient... ») et pourquoi, à votre avis ?
2. « Les langues étrangères (...) et de progrès. » : pensez-vous que cette réflexion soit valable seulement pour la Grèce ? Commentez cette phrase.
3. Paragraphe 2 : Alexakis réfléchit à son rapport à la langue française. Comment réagit-il à l'idée d'arrêter (« rompre avec ») le français ? Quel rapport a-t-il avec cette langue ?
4. En vous aidant de « Pour mieux comprendre », expliquez la seconde phrase. Que pensez-vous de l'attitude d'Alexakis ?
5. Comment les Français et les Grecs le considèrent-ils ? Commentez le jugement des uns et des autres. Finalement, comment Alexakis se considère-t-il (analysez la métaphore « Mon stylo (...) drapeau ») ?
6. « J'invoquais (...) étrangère » : que constate Alexakis ? Quelles explications donneriez-vous au constat de l'auteur ?
7. Selon vous, pour quelle(s) raison(s) un auteur, né dans un pays étranger mais écrivant en français, est-il considéré par les Français comme un auteur « étranger » et non comme un écrivain « français » ?

Le temple de la grue écarlate

Tran-Nhut

Ce nom est celui de deux sœurs qui écrivent ensemble. Elles sont nées à Hué, au Vietnam, en 1962 pour Thanh-Van et 1963 pour Kim. En 1968, leurs parents, professeurs de mathématiques et de sciences naturelles, décident d'aller vivre aux États-Unis, mais, en 1971, la famille émigre en France : c'est l'apprentissage d'une nouvelle langue, la découverte d'une nouvelle vie. Après le bac, Kim fait des études scientifiques en France, Thanh-Van repart en Amérique pour finir une formation d'ingénieur en mécanique. En 1999, elles se lancent dans l'écriture à quatre mains d'une série policière qui se déroule dans le Vietnam du XVIIe siècle. L'arrière-grand-père, figure mythique de la famille, sert de modèle au héros, le mandarin Tân, un lettré chinois qui exerce des fonctions de justice. Elles signent *Le Temple de la grue écarlate* (1999), *L'Ombre du prince* (2000). Le troisième volet, *La Poudre noire de Maître Hou* (2005) est écrit par Thanh-Van, ainsi que *L'Aigle d'airain* (2003), *L'Esprit de la renarde* (2005) et *Les Travers du docteur Porc* (2007). De son côté, Kim publie *Imbroglius* (2004) et *Le réseau imbroglius : le baiser de l'altéron* (2006), des romans policiers pour la jeunesse.

Empire du Vietnam, au XVIIe siècle. Le maître d'école a demandé d'écrire un texte à partir d'une pensée de Confucius. Pastèque, un élève, vient de lire son travail. Le maître donne son avis.

– Élève Pastèque, ton texte est, ma foi, bien écrit. Court, mais couvrant l'essentiel.

Les enfants hochèrent la tête, tout joyeux.

– Cependant…

Pastèque vit l'orage s'amasser lentement dans le front bombé comme les flancs d'une marmite alors que les yeux brillants du maître lançaient des éclairs meurtriers. Il se sut perdu.

– Ta mère, d'où vient-elle ?

– De… de la province du Sud, bégaya l'enfant.

– Curieux, ça, moi aussi j'en suis originaire, susurra Monsieur Ba. Et pour m'édifier, ma mère me racontait cette histoire. La tienne aussi, n'est-ce pas ?

Comme l'enfant ne répondait pas, le maître d'école se leva, les cheveux hérissés de colère. Il tonitruait :

– Comment oses-tu prétendre tienne cette fable superbe dont la beauté réside dans l'ultime sacrifice de soi ? Dans ton cerveau de simplet, jamais ne germera l'idée du suprême renoncement !

Terrible comme le typhon, il souleva Pastèque par l'oreille et le traîna vers le coin de torture réservé aux cancres, tout en grondant :

– Ta piété filiale à toi, c'est de couvrir de honte tes parents ? Que penseront-ils quand ils apprendront par ma bouche que tu n'es qu'un usurpateur sans vergogne ni talent ? Si tu dois voler, que ce soit au moins discrètement !

Tran-Nhut, *Le temple de la grue écarlate. Une enquête du mandarin Tân*, Paris, © Éditions Philippe Picquier, 1999.

Pour mieux comprendre

Confucius : philosophe chinois (-555/-479). Sa morale est basée sur la vertu, la bonne conduite. Pastèque raconte comment une fille se coupe le bras, le fait cuire et le donne à manger à sa mère qui meurt de faim. C'est un exemple de **sacrifice de soi**, de **renoncement** suprême pour **édifier**, servir d'exemple.

Pastèque : l'élève a le même nom qu'un gros fruit à la peau verte et à l'intérieur rouge.

S'amasser : se rassembler, devenir épais.

Le front bombé : la partie haute du visage est gonflée comme les côtés (**flancs**) du récipient (**marmite**) qui sert à faire cuire des aliments.

Se sut : v. *savoir* au passé simple (forme pronominale).

Des éclairs meurtriers : les yeux du maître brillent et expriment une très grande colère.

Bégayer : parler avec difficulté.

Susurrer : parler très bas, murmurer. Contraire : **tonitruer**.

Une fable : un récit qui instruit, qui illustre une morale.

Un simplet : qui n'est pas intelligent.

Le typhon : un vent puissant, un cyclone qui détruit tout.

Un cancre : un très mauvais élève.

Une piété filiale : l'amour, le respect pour les parents.

Un usurpateur : un voleur.

La grue écarlate : c'est le nom d'un monastère (un **temple**) ; la grue est un oiseau.

ACTIVITÉS

Découverte

1. Lisez le chapeau et dites dans quel pays et à quelle époque se passe l'histoire que vous allez lire.
2. Qui sont les personnages en présence ? Où sont-ils ?
3. Regardez le texte : comment est-il composé ?
4. Lisez les trois premières phrases : que fait le maître ? Quelle est la réaction des élèves ? Faites des hypothèses sur ce qui va se passer.
5. Lisez la suite. Que comprenez-vous ?

Exploration

1. Que marquent l'adverbe « cependant » et les points de suspension ?

   ....

2. « Pastèque vit l'orage... » : cette expression veut dire que le maître est en colère ; retrouvez dans le texte d'autres mots/expressions qui expriment cette colère.

   ....

   ....

3. À quel élément naturel renvoient certaines des expressions trouvées ? Qu'est-ce qui est dit à propos du maître ?

   ....

   ....

4. D'où viennent les mères de Pastèque et du maître ? Qu'est-ce que chacune a raconté à son fils et dans quel but ? Retrouvez cette histoire dans « Pour mieux comprendre ».

   ....

   ....

5. De quoi finalement le maître accuse-t-il l'élève ? Comment juge-t-il Pastèque ?

   ....

   ....

6. Le maître a demandé d'illustrer une pensée de Confucius sur le sacrifice de soi : que suppose cet exercice ? Un enfant peut-il le réaliser ? Développez votre réponse.

   ....

   ....

7. La punition de Pastèque sera terrible (« coin de torture ») : le maître lui fera très mal. Faites le lien avec la dernière réplique du maître. Que pensez-vous de ce genre d'éducation ?

   ....

   ....

Le ventre de l'Atlantique

Fatou Diome

(Niodior, une île au sud-ouest du Sénégal, 1968)

Elle est élevée par sa grand-mère. Elle quitte son village pour poursuivre ses études dans d'autres villes du Sénégal. Seule, elle trouve réconfort dans la lecture. Elle s'inscrit à l'université Cheik Anta Diop de Dakar, s'intéresse au cinéma et au langage de l'image. Elle rencontre un Français avec lequel elle se marie. Le couple s'installe en Alsace en 1994. F. Diome fait des études de sciences humaines à l'université de Strasbourg. Elle écrit d'abord des nouvelles inspirées de son expérience, *La préférence nationale* (2001), puis un roman, *Le ventre de l'Atlantique*, qui lui vaut une reconnaissance nationale. Dans ce livre, elle met en scène la France et l'Afrique à travers deux destins croisés : celui de la narratrice, Salie, immigrée en France, et celui de son frère resté au pays. Elle y décrit les contradictions de la société française, les désillusions de l'eldorado que représente ce pays pour les Africains qui rêvent de s'y rendre. Son deuxième roman, sorti en 2006, *Kétala* (« assemblée générale » dans sa langue, le sérère) confirme son talent. Elle anime aussi une émission littéraire télévisée sur France 3 : « Nuit blanche ».

4

Bien sûr que je me souviens de lui.

Monsieur Ndétare, instituteur déjà vieillissant. Avec une lame pour visage, des fourches en guise de mains et des échasses pour l'emmener faire le fonctionnaire dévoué jusqu'aux confins du pays, là où l'État se contente d'un rôle de figurant. Ndétare se distingue des autres habitants de l'île par sa silhouette, ses manières, son air citadin, sa mise européenne, son français académique et sa foi absolue en Karl Marx, dont il cite l'œuvre par chapitre. Syndicaliste, il assure les fonctions de directeur de l'école primaire du village depuis bientôt un quart de siècle, depuis que le gouvernement, l'ayant considéré comme un agitateur dangereux, l'a expédié sur l'île en lui donnant pour mission d'instruire des enfants de prolétaires.

Bien sûr que je me le rappelle.

Je lui dois Descartes, je lui dois Montesquieu, je lui dois Victor Hugo, je lui dois Molière, je lui dois Balzac, je lui dois Marx, je lui dois Dostoïevski, je lui dois Hemingway, je lui dois Léopold Sedar Senghor, je lui dois Aimé Césaire, je lui dois Simone de Beauvoir, Marguerite Yourcenar, Mariama Bâ et les autres. Je lui dois mon premier poème d'amour écrit en cachette, je lui dois la première chanson française que j'ai murmurée, parce que je lui dois mon premier phonème, mon premier monème, ma première phrase française lue, entendue et comprise. Je lui dois ma première lettre française écrite de travers sur mon morceau d'ardoise cassée. Je lui dois l'école. Je lui dois l'instruction. Bref, je lui dois mon *Aventure ambiguë*. Parce que je ne cessais de le harceler, il m'a tout donné : la lettre, le chiffre, la clé du monde. Et parce qu'il a comblé mon premier désir conscient, aller à l'école, je lui dois tous mes petits pas de french cancan vers la lumière.

Fatou Diome, *Le ventre de l'Atlantique*, Paris, © Éditions Anne Carrière, 2003.

Pour mieux comprendre

Une lame : l'instituteur a un visage long et très fin, comme une lame de couteau.

Des fourches : l'instituteur a des mains qui ressemblent à un instrument avec un long manche, qui sert à ramasser l'herbe.

Des échasses : 1) de longs bâtons sur lesquels on pose les pieds pour marcher. 2) L'instituteur a de très longues jambes.

Dévoué : qui se consacre entièrement à son travail dans des endroits lointains, extrêmes (**aux confins**) de l'**île**.

Une mise : la façon de s'habiller.

Une foi : la croyance.

Un syndicaliste : un militant actif dans une organisation qui défend les droits des travailleurs.

Un agitateur : une personne qui s'oppose au pouvoir politique.

Le prolétaire : celui qui appartient à la classe ouvrière.

En cachette : en secret.

Un phonème : un son ; **un monème** : le plus petit élément de la chaîne parlée qui a un sens. Ex : « Il/nage/dans/la/mer » comporte 5 monèmes.

Aventure ambiguë : 1) une aventure étrange, bizarre ; 2) le titre du roman de l'auteur sénégalais C. H. Kane.

Je ne cessais de le harceler : je n'arrêtais pas de lui demander beaucoup.

French cancan : une danse célèbre des bals publics à Montmartre (Paris), dans les années 1900.

ACTIVITÉS

Découverte

1. Comment comprenez-vous le titre du roman d'où est extrait ce passage ?
2. À quoi correspond le chiffre au-dessus du texte ? Numérotez les paragraphes.
3. Lisez le texte. Qu'avez-vous compris ? À quelle personne est écrit ce passage ?

Exploration

1. Retrouvez les deux paragraphes/phrases qui ont le même sens : de qui est-il question ? Quel effet produit la répétition des deux premiers mots ?

2. Paragraphe 2 : qui est monsieur Ndétare ? Quelle est sa fonction ? Relevez les expressions qui le décrivent physiquement et analysez-les. Présentez-le avec vos propres mots.

3. Faites une fiche biographique de cet homme (métier, instruction, militantisme...). Qu'a fait le gouvernement sénégalais et pourquoi ?

4. Paragraphe 4 : soulignez le groupe de mots répété et dites combien de fois il est repris. Qu'est-ce que ces répétitions montrent des sentiments de la narratrice ?

5. Classez par domaine (politique, philosophie, poésie, roman, littérature française et étrangère) et par sexe tous les auteurs cités. Que représentent les auteures féminines ? Quel genre d'éducation M. Ndétare transmet-il ?

6. Commentez la dernière phrase. Comment comprenez-vous l'allusion à « french cancan » ? Que représente « la lumière » pour la narratrice ?

7. À votre tour, faites l'éloge d'une personne qui vous a transmis quelque chose d'important.

Victor Gardon

([Vahram Gakavian], Van [Vaspouragan], Arménie, 1903 – Paris, 1973)

Son père est le fondateur du premier parti politique arménien, « Les Arménagans ». En 1915, Gakavian assiste aux combats des Arméniens contre les Turcs. Avec le retrait des armées russes, il se réfugie en Géorgie. En 1917, il fuit la Révolution bolchévique, part pour Rostov et, en 1920, il se retrouve à Constantinople, en Turquie, jusqu'en 1923. Il arrive en France, s'inscrit à la Sorbonne puis fait des études d'ingénieur.

En 1939, comme la plupart des jeunes Arméniens dotés d'un passeport Nansen (pour ceux qui n'ont pas de patrie), il est mobilisé. Fait prisonnier, il s'évade d'Allemagne et rejoint la Résistance sous le nom de Victor Gardon. Nommé commandant de l'Armée française, il recevra la médaille de Chevalier de la Légion d'Honneur en 1947 pour son engagement envers la France.

Après la Libération, il crée la « Fédération des Français d'origine arménienne ». Il écrit dans la presse arménienne, mais pour lui, c'est en français que les Arméniens doivent se faire connaître. « Il faut que les Français nous connaissent et soient informés de notre passé, de notre histoire et de notre tragédie » disait-il. Sa trilogie : *Le vert soleil de la vie* (1959), *Le Chevalier à l'émeraude* (1961), *L'Apocalypse écarlate* (1973) raconte le génocide arménien.

Le vert soleil de la vie

En Arménie, vers 1915. Vahram, petit garçon, vient annoncer à sa grand-mère l'arrivée de soldats turcs ; sa tante (Vartanouyche), ses oncles (dont Tigrane) et son père sont là.

– Mes enfants, disparaissez », dit Grand'Mé.

Puis regardant Vahram et les femmes, mais s'adressant aux hommes d'une manière étrange :

« Par le jardin », dit-elle.

Les trois hommes sortirent. Vahram vit sur la table un revolver dans sa gaine, avec la cartouchière ; c'était celui de Tigrane qui, pour être à l'aise, l'avait ôté, puis oublié là.

« Le revolver ! dit Vahram.

– Sainte Mère de Miséricorde, Vierge Divine, soyez clémente pour nous ! dit Grand'Mé, faisant plusieurs signes de croix.

– Vartanouyche, aide-moi ! »

Alors elle releva trois de ses cinq jupes, passa la cartouchière avec le revolver à sa ceinture et Vartanouyche l'attacha.

« Est-ce que cela se voit ? » demanda Grand'Mé en laissant retomber ses jupes.

Non, personne ne pouvait se douter qu'elle portait un revolver sous ses jupes.

« Alors, vous tous, dit-elle doucement, vous n'avez pas vu les hommes depuis quinze jours. Ils sont à Ville, ne sont pas rentrés. Nous n'avons pas d'armes. Mes filles, rabattez vos écharpes sur vos visages, montrez la bouche et le nez seulement. Laissez-moi parler et taisez-vous. Vahram ira ouvrir. »

Et l'on cogna à la porte.

« Va, Vahram, marche lentement, dit Grand'Mé. Ouvre et ne dis rien. »

Et elle le suivit encore plus lentement.

La maison fut cernée, deux gendarmes se plantèrent devant chaque porte ; cinq autres, le revolver au poing, firent irruption et se trouvèrent en face de Grand'Mé.

« Soyez les bienvenus, leur dit Grand'Mé en turc. Qu'y a-t-il à votre service ?

– Où sont les hommes ? demanda le brigadier débordant de son uniforme.

– Tchavouche effendi, répondit Grand'Mé, mes trois enfants sont à Ville depuis quinze jours. Est-ce que Sélim Bey votre chef se trouve à proximité ?

– Non, dit le brigadier. Il est loin d'ici. Pourquoi ? Avez-vous des révélations à faire ?

– Nous sommes de pauvres gens paisibles, qui craignons Dieu et le Sultan, dit Grand'Mé. Je ne connais pas de secrets. Mais je voulais voir Sélim Bey pour avoir des nouvelles de mes fils. Il est sûrement au courant.

– Alors, donnez-moi les armes que vous avez à la maison. Si vous les livrez, nous ne ferons rien, mais si nous les trouvons sans que vous les ayez livrées, nous mettrons le feu à la maison.

– Que voulez-vous que nous fassions avec des armes ? » dit Grand'Mé.

La fouille commença. [...]

Victor Gardon, *Le vert soleil de la vie*, Paris, © Éditions Stock, 1959.

Pour mieux comprendre

Des signes de croix : gestes de la main quand les chrétiens s'adressent à Dieu.

Soyez clémente : montrez-vous généreuse, humaine.

Cerner : entourer.

Tchavouche effendi : en turc, « Monsieur le brigadier ».

ACTIVITÉS

Découverte

1. Observez le texte : comment est-il composé ?
2. Comment comprenez-vous le titre du roman dont ce passage est extrait ?
3. Lisez le chapeau (au-dessus du texte) : à quelle époque et dans quel pays se déroule l'histoire ? Qu'ont subi les Arméniens à cette époque ? Faites des recherches.
4. Quels sont les personnages en présence, et quelle est leur relation ? Quelle nouvelle apporte l'un d'eux ?
5. Lisez le texte. Qu'avez-vous compris ? Pour vous, quel est le personnage principal ? Pourquoi ? Numérotez les 7 premières répliques de la grand-mère (Grand'Mé).

Exploration

1. Quelle est la réaction de Grand'Mé (répliques 1 et 2) à la nouvelle de Vahram ? À qui s'adresse-t-elle ? À votre avis, pourquoi ces personnes doivent-elles partir ?

   ....

2. Réplique 3 de Grand'Mé : à qui parle-t-elle ? Pourquoi fait-elle des signes de croix ? Finalement, à qui demande-t-elle de l'aide (réplique 4) ? Comment pourriez-vous décrire psychologiquement cette femme ?

   ....

3. Où cache-t-elle exactement l'arme ? Quelle est la réflexion du narrateur à sa question (réplique 5) ? Quelle est la stratégie de Grand'Mé ?

   ....

4. Dans les répliques 6 et 7, que fait Grand'Mé ? Sur quoi met-elle en garde les autres membres de la famille ? Quel rôle joue-t-elle ?

   ....

5. Que font les gendarmes ? Où certains d'entre eux se placent-ils ? Que font les « cinq autres » ? Comment réagit Grand'Mé ? En quelle langue s'exprime-t-elle ? Quelle est à nouveau sa stratégie ?

   ....

6. Que cherche le brigadier et que veut-il ? De quelle manière Grand'Mé répond-elle ? Quelle relation cherche-t-elle à établir avec le brigadier ?

   ....

   ....

7. Que sont prêts à faire les gendarmes si la famille arménienne ne fait pas ce qu'ils demandent ? À votre avis, que va-t-il se passer ? Écrivez la suite du passage.

   ....

   ....

L'homme et l'enfant

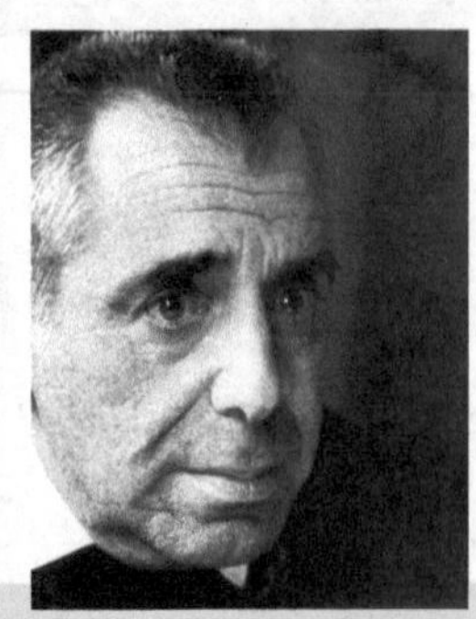

Arthur Adamov

([A. Adamian], Kislovodsk, Russie, 1908 – Paris, 1970)

C'est un des plus grands auteurs de théâtre d'après guerre. Issu d'un milieu très aisé, il reçoit une éducation à la française. La famille fuit le pays à la Révolution russe, passe par Genève, Mayence, avant d'arriver en France en 1924. Adamov fréquente les surréalistes. Au début, il vit de ses traductions (Dostoïevski, Gorki, Rilke, Strindberg, Tchekhov). En 1933, son père, qu'il détestait, se suicide : il se sent coupable de sa mort. Il traverse alors une grave crise personnelle qu'il raconte dans *L'Aveu* (1946). Mais c'est dans son théâtre, influencé par Kafka, qu'il va dénoncer la solitude des êtres et l'absence de communication, le vide de l'existence humaine : *La Parodie* (1947), *L'Invasion* (1949). Il ouvre la voie au théâtre de l'absurde : *La Grande et la petite manœuvre* (1950), *Le Professeur Taranne* (1951), *Tous contre tous* (1953). Sans renoncer à l'absurde, il s'oriente ensuite vers un théâtre plus critique et politique, basé sur la réalité sociale, qui le rapproche du communisme : *Retrouvailles* (1954), *Ping-Pong* (1955), considéré comme son chef-d'œuvre. En 1968, il rédige ses souvenirs, *L'Homme et l'enfant* et écrit une dernière pièce, l'année de son suicide, *Si l'été revenait.*

En 1941, Adamov est arrêté pour avoir tenu des propos hostiles au gouvernement de collaboration de Vichy, dirigé par le maréchal Pétain (1940-1944), pendant l'occupation allemande.

X

ARGELÈS-SUR-MER
SON « CENTRE D'HEBERGEMENT »

16 mai 1941. Le camp de concentration d'Argelès. Chaleur étouffante.

Autour d'une fosse où s'entassent des restes de légumes avariés, des êtres aux trois quarts nus, décharnés, édentés, se pressent, se battent presque.

On nous coupe les cheveux ras, c'est la règle des camps. Les coiffeurs, tous des Espagnols, nous expliquent que s'ils refusaient d'obéir ils seraient, selon l'expression courante ici, « donnés à Franco », ou en tout cas immédiatement jetés en prison : le cachot du camp où la correspondance est interdite, la nourriture encore restreinte.

Un Chinois, dont les mèches noires glissent sur les joues, pleure.

Le « bistrot », si j'ose dire, du camp. Honteux de manger du pain de figue et de boire du vin rouge, devant des dizaines d'hommes faméliques immobiles, qui me guettent.

Dans ma baraque, les juifs allemands, de petits commerçants, toute la nuit, toutes les nuits, jaugent le prix des pommes de terre. Combien valent-elles à Copenhague, à Lisbonne, à New York ? J'ai bien cru devenir fou.

Je frappe le sol avec ma canne pour chasser les rats.

Un convoi d'hommes, une barre de fer sur les épaules, soutenant deux seaux remplis d'excréments. Ils titubent sous le poids.

Arthur Adamov, *L'homme et l'enfant*, Paris, © Éditions Gallimard, 1968.

Pour mieux comprendre

Argelès-sur-mer : un lieu situé dans les Pyrénées-Orientales (66), au Sud de la France.

Un camp de concentration : un lieu fermé et surveillé où sont regroupés, en temps de guerre, des étrangers, « des ennemis de la nation » et où les conditions de vie sont très dures.

Étouffant(e) : qui étouffe, empêche de respirer, très chaud(e).

Une fosse : un trou fait dans la terre.

S'entasser : se mettre les uns sur les autres, amasser.

Des légumes avariés : des légumes qui pourrissent, qu'on ne peut plus manger.

Décharné : qui n'a plus de chair, très maigre.

Édenté : qui n'a plus de dents.

Couper ras : couper très court.

Franco (1892-1975) : général qui a écrasé la jeune République espagnole et a instauré une dictature militaire jusqu'à sa mort.

Famélique : qui ne mange pas à sa faim, très maigre.

Jauger : évaluer, apprécier par un jugement de valeur.

Un convoi d'hommes : un groupe important d'hommes.

Des excréments : les besoins naturels des humains ou des animaux.

Tituber : aller de droite et de gauche, ne pas marcher droit.

ACTIVITÉS

Découverte

1. Comment est composé le titre du livre d'où ce passage est extrait ? Faites des hypothèses sur les thèmes abordés.

2. Observez le texte : que remarquez-vous sur la disposition, la typographie ?

3. Que signifie le « X » dans cette partie ? Quel nom de lieu est donné ? Situez-le sur une carte (aidez-vous de « Pour mieux comprendre »). Qu'est-ce qui est écrit en dessous ? À quoi vous fait penser ce titre ?

4. Lisez les trois premières phrases : que remarquez-vous au niveau de la syntaxe (construction de phrases) ? Quelles indications sont données ?

5. Lisez le chapeau : qu'est-il arrivé à Adamov ? Quelle est la situation de la France à cette époque ?

Exploration

1. Lisez l'extrait. Qui parle ? À quel genre de texte pouvez-vous comparer ce passage ?

   ....

2. Paragraphe 2 : quels adjectifs qualifient les êtres humains qui vivent dans le camp ? Où se réunissent-ils ? Que font-ils ?

   ....

3. Quelle est la « règle des camps » ? Qui fait cela ? Que risquent ces personnes si elles refusent d'obéir ?

   ....

4. Relevez, dans tout le texte, les nationalités : quelle est la particularité du camp de concentration ? Quelle est l'activité des uns et des autres ?

   ....

5. Paragraphe 5 : qu'est-ce qu'Adamov a honte de faire ? À votre avis, pourquoi peut-il faire cela (faites des hypothèses) ?

   ....

6. Qui sont les personnes qui le « guettent » ? Comment sont ces personnes ? Comment comprenez-vous cette situation ? Quel aspect de la vie dans le camp est montré dans ce paragraphe ?

   ....

7. Paragraphe 6 : pourquoi Adamov a-t-il cru « devenir fou » ? Qu'est-ce qui est absurde dans ce paragraphe ? Quel détail est apporté au paragraphe 7 ? Que cherche à transmettre l'auteur ?

   ....

8. Dans tout le texte, de quelle manière Adamov évoque-t-il la vie au camp d'Argelès ? Quelle est l'impression donnée ? À quoi la vie est-elle réduite ?

   ....

   ....

L'Écriture ou la vie

Jorge Semprun

(Madrid, Espagne, 1923)

Il grandit dans une famille de la grande bourgeoisie espagnole qui fuit la guerre civile en 1937 et s'exile en France. En 1942, il entre au parti communiste espagnol (PCE).

En 1943, il est arrêté par la police allemande, la Gestapo, puis déporté au camp de concentration de Buchenwald : il est affecté à l'administration du travail (l'*Arbeitsstatistik*), et est chargé d'organiser des activités culturelles pour les déportés espagnols. Le camp est libéré par les troupes américaines le 11 avril 1945. Semprun est évacué et retourne à Paris.

Toujours membre du PCE, il devient traducteur à l'UNESCO. De 1953 à 1962, il organise la résistance communiste au régime du dictateur Franco, séjourne en Espagne sous de faux noms. Scénariste, romancier, il reçoit le prix Femina pour *La deuxième mort de Ramon Mercader* (1969), le prix littéraire des droits de l'homme pour *L'écriture ou la vie* (1995), le prix de la ville de Weimar (Allemagne) en 1995 et celui de Nonino (Italie) en 1999.

Sa vie se confond avec son engagement politique et humaniste, sans cesse en quête de liberté. Entre 1988 et 1991, il est ministre de la culture en Espagne. Il est élu à l'Académie Goncourt en 1996 mais pas à l'Académie française car il a gardé sa nationalité espagnole.

En avril 1945, le camp de concentration de Buchenwald, en Allemagne, vient d'être libéré.

Je riais, ça me faisait rire d'être vivant.

Le printemps, le soleil, les copains, le paquet de Camel que m'avait donné cette nuit un jeune soldat américain du Nouveau-Mexique, au castillan chantonnant, ça me faisait plutôt rire.

Peut-être n'aurais-je pas dû. Peut-être est-ce indécent de rire, avec la tête que je semble avoir. À observer le regard des officiers en uniforme britannique, je dois avoir une tête à ne pas rire.

À ne pas faire rire non plus, apparemment.

Ils sont à quelques pas de moi, silencieux. Ils évitent de me regarder. Il y en a un qui a la bouche sèche, ça se voit. Le deuxième a un tic de la paupière, nerveux. Quant au Français, il cherche quelque chose dans une poche de son blouson militaire, ça lui permet de détourner la tête.

Je ris encore, tant pis si c'est déplacé.

– Le crématoire s'est arrêté hier, leur dis-je. Plus jamais de fumée sur le paysage. Les oiseaux vont peut-être revenir !

Ils font la grimace, vaguement écœurés.

Mais ils ne peuvent pas vraiment comprendre. Ils ont saisi le sens des mots, probablement. Fumée : on sait ce que c'est, on croit savoir. Dans toutes les mémoires d'homme, il y a des cheminées qui fument. Rurales à l'occasion, domestiques : fumées des lieux-lares.

Cette fumée-ci, pourtant, ils ne savent pas. Et ils ne sauront jamais vraiment. Ni ceux-ci, ce jour-là. Ni tous les autres, depuis. Ils ne sauront jamais, ils ne peuvent pas imaginer, quelles que soient leurs bonnes intentions.

Fumée toujours présente, en panaches ou volutes, sur la cheminée trapue du crématoire de Buchenwald, aux abords de la baraque administrative du service du travail, l'*Arbeitsstatistik*, où j'avais travaillé cette dernière année.

Il me suffisait d'un peu pencher la tête, sans quitter mon poste de travail au fichier central, de regarder par l'une des fenêtres donnant sur la forêt. Le crématoire était là, massif, entouré d'une haute palissade, couronné de fumée.

Ou bien de flammes, la nuit.

Jorge Semprun, *L'Écriture ou la vie*, Paris, © Éditions Gallimard, 1994.

Pour mieux comprendre

Un camp de concentration : un lieu où le régime nazi emprisonne et fait travailler, dans des conditions inhumaines, ceux qui sont considérés comme ennemis (Juifs, communistes, homosexuels, Tziganes, opposants politiques...). Beaucoup sont tués, gazés, brûlés dans les fours crématoires.

Le paquet de Camel : des cigarettes américaines.

Le castillan : langue officielle de l'Espagne, parlée au Nouveau-Mexique (USA).

Indécent : qui n'est pas convenable, **déplacé**.

Un uniforme britannique : un habit militaire anglais.

Un tic de la paupière : un mouvement non contrôlé de la peau qui recouvre l'œil.

Faire la grimace : un mouvement de la bouche qui montre que l'on n'est pas content.

Écœuré : être dégoûté, avoir envie de vomir.

Rural : qui concerne la campagne ; **domestique :** qui concerne la maison.

Les lieux-lares : des lieux protégés, familiers (jeu de mots avec dieux lares : les dieux qui protègent la maison).

ACTIVITÉS

Découverte

1. Comment est composé le titre du livre d'où ce passage est extrait ? Comment le comprenez-vous ?
2. Lisez le chapeau (au-dessus du texte) : quel pays et quel lieu sont évoqués ? À quoi correspond la date ?
3. Soulignez dans la biographie ce qui est arrivé à Semprun et pourquoi. Combien de temps est-il resté prisonnier ?
4. Lisez le texte. Qui parle ? À quel genre littéraire appartient cet extrait ?
5. De quelles autres personnes est-il question ? Quelles sont les nationalités présentes ?

Exploration

1. Combien de fois le mot rire est-il employé ? Repérez les passages où il se trouve. Pour quelles raisons le narrateur rit-il et pour quelles raisons ne devrait-il pas rire ?

   ....

2. Quelles sont les réactions des officiers ? Retrouvez les mots/expressions qui appuient votre réponse. Qu'indique leur attitude ?

   ....

3. « Peut-être est-ce indécent de rire/Je ris encore, tant pis si c'est déplacé » : pourquoi Semprun fait-il cette supposition ? Finalement, quel choix fait-il ? Comment comprenez-vous ce choix ?

   ....

4. Combien de fois le nom « fumée » et le verbe « fumer » sont-ils répétés ? Que veut montrer l'auteur par ces répétitions ?

   ....

5. Que représente la fumée pour les soldats et les prisonniers ? Retrouvez les passages qui expriment cette opposition.

   ....

   ....

6. Reliez « – Le crématoire (...) revenir ! » aux deux dernières phrases : quelle tragédie est ainsi évoquée ? Quelle est la force de l'écriture de Semprun ?

   ....

   ....

7. L'horreur vécue dans les camps ne peut pas être racontée par les survivants ni ne sera comprise par tous ceux qui ne l'ont pas vécue : quel drame s'ajoute à cette tragédie ? Que peut permettre la littérature face à l'extrême ?

   ....

   ....

Élie Wiesel

(Transylvanie, Roumanie, 1928)

Il est élevé dans un milieu juif orthodoxe et hassidique. En 1944, tout son village de Sighet est déporté par les nazis dans les camps de concentration de Birkenau et d'Auschwitz. Il est le seul survivant de toute sa famille. À la fin de la guerre, il fait partie des quatre cents adolescents qui refusent de rentrer chez eux, en Europe centrale. En 1945, il arrive à Paris, fait des études et part ensuite vivre aux États-Unis. Il devient le correspondant de quotidiens israéliens, français, américains. Il enseigne à l'Université de Boston. Il écrit son premier roman en yiddish (langue des Juifs d'Europe orientale) en 1956 ; il en fera une version abrégée, *La nuit*, qui relate son expérience des camps de concentration. Il publie ensuite d'autres romans : *L'Aube* (1960), *Le Jour* (1961), *La Ville de la chance* (1962), *Le chant des morts* (1966). En 1968, il reçoit le prix Médicis pour *Le Mendiant de Jérusalem*. Dans ses romans, essais, pièces de théâtre, Élie Wiesel écrit à l'intérieur du souvenir de la Shoah. Son œuvre est celle d'un homme qui refuse d'oublier : « L'important, c'est de combattre le silence par la parole », dit-il. En 1986, il reçoit le prix Nobel de la paix attribué à l'humaniste pacifiste, au militant des droits de l'homme, à la conscience morale.

Le temps des déracinés

En 1944, les Allemands envahissent la Hongrie. Les parents de Gamliel sont juifs. Son père est en prison et sa mère doit fuir. Elle laisse l'enfant à Ilonka, une femme hongroise qui accepte de le cacher, mais il doit changer de prénom. Il s'adresse à sa mère :

« Je ne suis pas Péter, je ne veux pas être Péter, proteste l'enfant d'une voix résolue. J'ai un nom à moi. Tu le sais bien, c'est mon grand-père qui me l'a donné en cadeau. Comme souvenir. Gam-li-el. Je tiens à ce nom. Il n'est peut-être pas beau, mais il est à moi. Il est moi. Je refuse qu'on me l'enlève : papa ne veut pas non plus. Je le lui ai promis. Il m'a raconté son histoire et maintenant elle m'appartient.

– Tu ne comprends donc pas, mon trésor ? Nous sommes tous en danger. Demande à cette gentille dame, elle te le dira : la Mort nous guette. Elle traque les Juifs. Elle ne sera pas tranquille tant qu'elle sentira notre souffle. Nous n'avons pas le choix, mon petit : pour l'instant, nous sommes obligés de nous séparer.

– Papa viendra nous sauver ; je lui fais confiance. Il trouvera le moyen, lui, de nous garder ensemble.

– Moi aussi, je l'attends ; moi aussi, j'ai confiance. Mais quand reviendra-t-il ? À la fin de la guerre. Et elle risque de durer des semaines, des mois…

– Eh bien, j'attendrai. »

Ils se taisent. Le jour va se lever. Ilonka lui apporte une tasse de chocolat chaud, acheté à un prix exorbitant. Recroquevillé dans son fauteuil, Péter s'assoupit. Lorsqu'il ouvre les yeux, sa maman n'est plus là. Ilonka lui remet une lettre qu'il parcourt les lèvres serrées : « Nous avons décidé de t'endormir, mon amour. C'était pour ton bien. Nous nous reverrons, j'en suis sûre. J'espère que ce sera bientôt. Et alors je te raconterai de nouvelles histoires. Elles ne seront pas tristes… Un jour, mon petit grand garçon, tu comprendras. »

Mais ce jour n'est jamais arrivé.

Élie Wiesel, *Le temps des déracinés*, Paris, © Éditions du Seuil, 2003, coll. *Points*, 2004.

Pour mieux comprendre

Protester : déclarer avec force son opposition, s'opposer.
D'une voix résolue : d'une voix décidée.
Refuser : ne pas accepter.
Traquer : poursuivre quelqu'un pour le capturer, le prendre ou le tuer.
Le souffle : la respiration ; ici, c'est la vie.
Se taisent, v. *se taire* : ne plus parler.
Exorbitant : qui est très cher, hors de prix.
Recroquevillé : qui est replié sur soi.
S'assoupir : s'endormir doucement.
Parcourir : lire rapidement.
Un déraciné : une personne qui doit quitter son pays, qui est déportée (pendant la guerre), exilée.

ACTIVITÉS

Découverte

1 Lisez le chapeau (au-dessus du texte) : présentez l'époque, le lieu où se passe l'histoire. Qui sont les personnages en présence ? Quel est leur lien ? Quelle est la situation ?

2 Que savez-vous de la situation en Europe en 1944 ? Faites des recherches.

3 Lisez le texte. Comment est-il composé ? Qu'avez-vous compris ? La première réplique est celle de Gamliel : mettez un G quand il parle et un M quand parle sa mère.

Exploration

1 Première phrase : que refuse l'enfant et de quelle manière ? Analysez le style de la phrase : comment le refus est-il souligné ?

....

2 « J'ai un nom (…) m'appartient. » : pour quelle raison refuse-t-il ce nouveau prénom ? Dans quelle histoire s'inscrit-il avec le prénom de Gamliel ? Que refuse-t-il en fait ?

....

3 Quelle réalité la mère rappelle-t-elle à son fils ? Qui est « tous » ? « Mort » porte une majuscule : c'est une personnification. Retrouvez les verbes, l'expression verbale, la métaphore… qui développent cette personnification. Quel est l'effet recherché ?

....

4 « Nous n'avons pas le choix (…) j'attendrai. » : sur quoi porte la discussion ? Comment réagit l'enfant ?

....

5 De quelle manière la mère quitte-t-elle son fils ? Comment l'apprend-il ? Qu'est-ce qui est dramatique dans la lettre ?

....

....

6 La dernière phrase : qui parle ici ? À quel moment renvoie « ce jour » ? Quelle tragédie s'est jouée ?

....

....

7 Repérez le titre du roman d'où ce passage est extrait : comment le comprenez-vous (appuyez-vous sur l'analyse du texte, la biographie et « Pour mieux comprendre ») ?

....

....

8 Imaginez la réaction de l'enfant et l'attitude d'Ilonka. Écrivez un texte composé de passages narratifs et dialogués.

....

....

Riz noir

Anna Moï

(Saigon, Vietnam, 1955)

Elle est née dans une famille qui « a combattu la domination coloniale tout en chérissant le français ». Elle est scolarisée dans une école française, dès la maternelle. Son père a étudié dans un lycée français.

Invitée au salon du livre consacré à la Francophonie, en mars 2006, elle prend une position ferme car elle doute de l'étiquette « francophone » qui, selon elle, sépare les auteurs français des auteurs étrangers écrivant en français. Elle se considère « francophone, comme Marcel Proust et Boualem Sansal ».

Anna Moï est polyglotte : elle parle vietnamien, thaï, allemand, japonais. Elle exerce les métiers de journaliste, styliste, chanteuse et femme d'affaires. Elle partage sa vie entre la France, le Vietnam, les États-Unis et le Japon. Elle fait son entrée en littérature avec *L'Écho des rizières* (2001), livre dans lequel le lecteur va et vient entre Hô Chi Minh-Ville (Saigon) et la France à des périodes historiques différentes. Dans *Riz noir* (2004) et *Rapaces* (2005), ce sont des récits violents sur l'histoire de son pays qu'Anna Moï nous propose. Elle s'intéresse à l'universalité de l'expérience humaine. En 2006, elle publie un roman, *Violon* et un essai, *Espéranto, désespéranto*, réflexion sur le français, la francophonie.

En 1968, c'est la guerre au Vietnam. La narratrice (15 ans) et sa sœur sont en prison à Poulo Condor, au large de Saïgon. Elles sont accusées d'avoir posé une bombe.

3

Des gens ordinaires

Les tortionnaires sont des fonctionnaires. Ils torturent aux horaires d'ouverture des bureaux. Le matin, les séances commencent vers sept heures, pour s'achever vers onze heures. Comme tous les autres employés, ils repartent chez eux déjeuner et faire la sieste. On ne connaît pas leurs sujets de conversation, à table. Ils reprennent le travail vers deux heures de l'après-midi et arrêtent à six heures. Une existence assez ordonnée, car ce sont des militaires, habitués à la discipline.

À l'exception d'un homme, tortionnaire expérimenté, Tien, les interrogateurs sont de jeunes sous-officiers. Tien tient un rôle qui consiste à identifier avec précision le passage crucial, de vie à trépas, où les suppliciés se mettent à parler. Cet intervalle se prolonge plus ou moins, selon l'individu, la durée et la fréquence des supplices. Si le corps est déjà tuméfié par les coups ou brûlé par les décharges électriques, la résistance est imprévisible. Mais Tien, grâce à une longue pratique, sait arrêter le fouet en queue de raie ou la matraque en métal enrobé de caoutchouc, et débrancher le générateur. C'est un tout petit générateur que l'on remonte à la main. Des fils nus entortillés autour d'une matraque y sont reliés. L'arme ainsi électrifiée est appliquée sur les doigts, les oreilles, sur le bout des seins, introduite dans la bouche ou dans le vagin. Les fils sont tenus dans les mains d'un homme, et quand l'homme s'approche, c'est cela que l'on voit : de longs doigts fins de sous-officier, pas les mains de tortionnaires.

Il n'y a pas de torture mécanique. Un homme intervient toujours pour doser la souffrance d'un autre homme, ou d'une femme. Ou d'une jeune fille.

Anna Moï, *Riz noir*, chapitre I, « La capture », Paris, © Éditions Gallimard, 2004.

Pour mieux comprendre

Ordinaire : qui n'a rien d'exceptionnel, banal, comme tout le monde.

Un tortionnaire : une personne qui **torture**, frappe, fait souffrir des hommes/femmes (**suppliciés**) pour les forcer à dire des choses.

Un fonctionnaire : une personne qui travaille à heure fixe dans la fonction publique.

Faire la sieste : se reposer, dormir un peu l'après-midi.

Le passage crucial de vie à trépas : le moment où la personne passe de la vie à la mort.

Tuméfié : qui est gonflé à cause des coups.

Un fouet : un instrument formé de cordes qui sert à frapper.

Une matraque : un objet long et dur qui sert à frapper.

Un générateur : une machine qui sert à fabriquer de l'électricité.

Doser : mesurer.

Une capture : le fait d'attraper, de prendre quelqu'un.

ACTIVITÉS

Découverte

1. Observez le texte : quel est le titre du passage proposé ? Qui peuvent être ces « gens » ?
2. Comment comprenez-vous le titre de l'œuvre d'où est extrait ce texte ?
3. Lisez le chapeau (au-dessus du texte) : présentez l'époque et les événements, les lieux où se déroule l'histoire, les personnages. Quelle est leur situation ? Faites le lien avec le titre du chapitre I (en dessous du texte).
4. Lisez le texte. Qu'avez-vous compris ? Qui sont les « gens ordinaires » ? Que pensez-vous de cette « définition » ?

Exploration

1. À quelle personne est écrit ce texte ? Rencontre-t-on le « je » de la narratrice ? Quel type de texte avez-vous l'impression de lire ? Quel est l'effet produit ?
2. Qui sont les « tortionnaires » ? Quelle est leur « activité » et leur emploi du temps ? Pourquoi peut-on dire que ce sont « des gens ordinaires » ? Qu'est-ce qui est choquant dans ce premier paragraphe ?
3. Deuxième paragraphe : qui est Tien ? Quel est son rôle et son objectif dans cette prison ? Qu'est-ce qui le différencie des autres tortionnaires ?
4. « Cet intervalle (...) tortionnaires » : relevez tous les détails qui se rapportent aux corps des personnes torturées, aux instruments de torture et à l'action de Tien. Qu'est-ce que l'auteure veut transmettre aux lecteurs ?
5. Qu'est-ce que voit le regard du supplicié ? Quelle distinction est faite ? Comment comprenez-vous cette distinction ?
6. Dernier paragraphe : comment comprenez-vous la première phrase ? Quelle explication apporte Anna Moï ? Qu'en pensez-vous ?
7. Comment peut-on devenir tortionnaire ? Réfléchissez à cette question.

Irène Némirovsky

(Kiev, Russie, 1903 – Auschwitz, Pologne, 1942)

Elle est née dans une riche famille qui a fui la Révolution russe pour se réfugier en France en 1919. Elle apprend le français avant de connaître le russe, parle six langues, est passionnée de littérature et revendique ses identités plurielles : russe, juive, française. *David Golder* (1929), roman inspiré de son père, est salué comme un chef-d'œuvre et adapté au cinéma par Julien Duvivier. Elle publie un, voire deux romans par an : *Le Bal, La Proie, Le Vin de solitude, Les Chiens et les Loups*... Son œuvre est admirée par Kessel, Cocteau, Morand. Les lois antisémites de 1940-1941 la font basculer dans le camp des parias. La nationalité française lui est refusée. Celle qui aime tant la France portera l'étoile jaune. En 1941-42, elle écrit *La vie de Tchekhov, Les feux de l'automne* et *Suite française*, qui peint l'exode de juin 1940, les lâchetés et les petites générosités d'une population qui accepte l'humiliation. Elle est arrêtée par la police française le 13 juillet 1942 et meurt dans le camp d'extermination d'Auschwitz le 17 août 1942. Le manuscrit de *Suite française*, conservé par sa fille pendant plus de 60 ans, est publié en 2004 et couronné par le prix Renaudot : c'est la première fois qu'un prix littéraire est attribué à un auteur après son décès.

Suite française

Au printemps 1941, les soldats allemands occupent la partie nord-est de la France.

Les Allemands avaient pris possession de leurs logis et faisaient connaissance avec le bourg. Les officiers allaient seuls ou par couples, la tête dressée très haut, faisaient sonner leurs bottes sur les pavés ; les soldats formaient des groupes désœuvrés qui arpentaient d'un bout à l'autre l'unique rue ou se pressaient sur la place, près du vieux crucifix. Lorsque l'un d'eux s'arrêtait, toute la bande l'imitait et la longue file d'uniformes verts barrait le passage aux paysans. Ceux-ci, alors, enfonçaient plus profondément leurs casquettes sur le front, se détournaient et, sans affectation, gagnaient les champs par de petites ruelles tortueuses qui se perdaient dans la campagne. Le garde champêtre, sous la surveillance de deux sous-officiers, collait des affiches sur les murs des principaux édifices. Ces affiches étaient de toutes sortes : les unes représentaient un militaire allemand aux cheveux clairs, un large sourire découvrant des dents parfaites, entouré de petits enfants français qu'il nourrissait de tartines. La légende disait : « Populations abandonnées, faites confiance aux soldats du Reich ! » D'autres, par des caricatures ou des graphiques, illustraient la domination anglaise dans le monde et la tyrannie détestable du Juif. Mais la plupart commençaient par le mot *Verboten* – « Interdit ». Il était interdit de circuler dans les rues entre neuf heures du soir et cinq heures du matin, interdit de garder chez soi des armes à feu, de donner « abri, aide ou secours » à des prisonniers évadés, à des ressortissants des pays ennemis de l'Allemagne, à des militaires anglais, interdit d'écouter les radios étrangères, interdit de refuser l'argent allemand. Et, sous chaque affiche, on retrouvait le même avertissement en caractères noirs, deux fois souligné : « Sous peine de mort. »

Irène Némirovsky, *Suite française*, 1942, Paris, © Éditions Denoël, 2004.

Pour mieux comprendre

Leurs logis : les maisons des gens qui habitent le **bourg** (un gros village) et où les Allemands s'installent.

Désoeuvré(e) : qui n'a pas d'activité précise, qui ne sait pas quoi faire.

Arpentaient, v. *arpenter*, imparfait : marcher à grands pas.

Un crucifix : la croix sur laquelle il y a le Christ.

Barrait, v. *barrer*, imparfait : bloquer une route, empêcher quelqu'un de passer.

Un paysan : un homme qui travaille la terre.

Sans affectation : d'une manière naturelle.

Les ruelles tortueuses : de petites rues qui ne sont pas droites.

Un garde champêtre : à la campagne, c'est une personne qui surveille les biens des gens et les champs.

Un édifice : un bâtiment.

Reich : mot allemand qui signifie « empire ». Ici, c'est le 3e Reich (1933-1945), l'Allemagne nationale-socialiste d'Hitler.

Une tyrannie : le fait d'exercer une forte autorité, une dictature.

Détestable : que l'on doit détester, haïr, ne pas aimer.

Évadé : qui s'est enfui de prison.

Un ressortissant : une personne qui vit dans un pays mais qui est née dans un autre.

ACTIVITÉS

Découverte

1. Comment comprenez-vous le titre du roman d'où ce passage est extrait ? À quelle date a-t-il été écrit ? Que savez-vous de la situation en Europe à ce moment-là ?

2. Lisez la biographie de l'auteure : que s'est-il passé dans la vie de cette femme ? Qui a sauvé son dernier écrit ?

3. Lisez le chapeau (ce qui est écrit au-dessus du texte, en italique) : où et quand se déroule l'histoire ? Quelle est la situation ?

4. Lisez le texte. Retrouvez un mot en italique : à quelle langue appartient-il ? Quel est son sens ? Combien de fois la traduction de ce mot est-elle répétée ? Que signifient ces répétitions ?

5. Première phrase : quels personnages sont en présence ? Sur quels rapports s'établit leur relation ?

Exploration

1. « Les officiers allaient (...) crucifix. » : si vous étiez cinéaste, comment feriez-vous pour filmer cette scène (plans, zoom, bruitage...) ? Que font les soldats et quelle peut être la conséquence d'une telle situation ?

2. « (...) la longue file d'uniformes verts » : qui est désigné ici ? Cette figure de style est une synecdoque : comment est-elle construite et quel est l'effet produit ?

3. Que font les uns (les soldats) et quelle est la réaction des autres ? Qu'est-ce que l'expression « sans affectation » montre de l'attitude des paysans ?

4. Que fait le garde champêtre ? Qui lui a ordonné de faire cela ? Que représentent les affiches (« les unes (...) du Juif. ») ?

5. Soulignez la première phrase entre guillemets : comment est-elle construite ? Quel est le message délivré ?

6. Sur quoi repose la propagande nazie ? Quels sont les objectifs poursuivis ?

7. « Mais (...) de mort. » : comment est construit ce passage (phrases, répétitions, accumulation...) ? Que montre l'auteure ?

8. Faites le lien entre ce texte et la biographie de Némirovsky : quelles sont les conséquences de la haine de l'Autre ? Faites des recherches sur cette période historique, en particulier sur la Shoah.

Lignes de faille

En Allemagne, en 1944-1945. La narratrice, Kristina, est une fille de 6 ans. La famille a accueilli un jeune garçon polonais, Johann.

Pour rien au monde je ne renoncerais à mes conversations secrètes avec Johann, émaillées maintenant de mots en polonais. D'accord c'est dobrze, oui c'est tak et non c'est z'aden, « je suis votre fille » c'est Jestem waszym còrka… j'ai envie de tout apprendre.

« Les sœurs brunes amènent les enfants choisis, par le train, à un lieu qui s'appelle Kalisz, et là, elles nous donnent à des hommes en blouse blanche, peut-être des médecins, peut-être pas. Ils séparent les garçons et les filles…

– Et ensuite ?

– Ensuite ils nous mesurent.

– La taille ?

– Non. Oui. Tout. On doit se mettre nu et ils mesurent toutes les parties de notre corps. La tête, les oreilles, le nez. Les jambes, les bras, les épaules. Les doigts. Les orteils. Le front. Les… choses entre les jambes. L'angle, ici, avec le nez et le front. Et ici, avec le menton et la mâchoire. La distance entre les sourcils. Les enfants qui ont les sourcils trop proches sont renvoyés. Aussi ceux qui ont un grain de beauté… un nez trop grand… des choses trop petites… les pieds tournés comme ci, ou comme ça. Ensuite ils mesurent notre santé, notre savoir, notre intelligence. Un test après l'autre. Ceux qui n'ont pas les bons scores sont renvoyés.

– Renvoyés… ?

– Chut, Krystka, laisse-moi te dire… Ils nous donnent des noms nouveaux. Ils nous disent : Il y a longtemps vous étiez allemands, vous avez le sang allemand dans les veines, votre nationalité polonaise est une erreur mais on peut corriger, il n'est pas trop tard. Vos pères sont des traîtres, ils doivent être tués. Vos mères sont des putains, elles ne méritent pas de vous élever. Maintenant on vous donne une éducation allemande. Si vous parlez ensemble en polonais, vous êtes punis. On parle ensemble en polonais. On est puni (…).

Nancy Huston, *Lignes de faille* (IV, KRISTINA, 1944-1945),

Nancy Huston
(Calgary, Canada, 1953)

Quand elle a 15 ans, sa famille s'installe à Boston, aux États-Unis, où elle poursuit ses études. En 1973, elle arrive en France, pays qu'elle adopte et où elle vit désormais. Cette ancienne élève de Roland Barthes, musicienne accomplie, commence par écrire pour des journaux féministes (le magazine *Sorcières* qu'elle a cofondé), puis publie des romans : *Cantique des plaines*, 1993, qui reçoit au Canada le prix du Gouverneur général, *La virevolte* (1994), *Instruments des ténèbres* (prix Goncourt des lycéens, 1996), *Dolce agonia* (2001). Elle écrit aussi des essais : *Lettres parisiennes : autopsie de l'exil*, composé en 1986 avec Leïla Sebbar, *Journal de la création* (1990), *Nord perdu* suivi de *Douze France* (1999), *Le chant du bocage* (2005, avec Tzvetan Todorov) ainsi que des livres pour enfants. Auteure canadienne de best-sellers en français qu'elle traduit elle-même dans sa langue, Nancy Huston s'interroge sur l'exil, l'écriture et les langues. *Lignes de faille* a reçu le prix Femina.

Pour mieux comprendre

Renoncerais, v. *renoncer* au conditionnel : arrêter, abandonner,

Des conversations émaillées de mots polonais : dans les discussions, il y a quelques mots polonais.

Les sœurs brunes : ce sont des religieuses, vêtues de robes marron ou noires.

Un grain de beauté : une petite tache/une grosseur brune sur la peau.

Un score : dans une compétition, c'est le résultat, la note.

Un traître : une personne qui trahit, qui n'est pas fidèle à quelque chose.

Une putain : une femme de mauvaise vie, une prostituée.

Une ligne de faille : pendant un tremblement de terre, c'est la ligne visible qui coupe la terre en deux. La **faille** est une cassure, un point faible.

ACTIVITÉS

Découverte

1. Dans le chapeau (ce qui est en italique, au-dessus du texte) : où et quand se déroule l'histoire ? Quelle est la situation de l'Europe à ce moment-là ?

2. Qui sont les personnages en présence ? Quel âge a la narratrice ?

3. Soulignez le titre du livre d'où le passage est extrait : aidez-vous de « Pour mieux comprendre » et dites comment vous le comprenez. À quoi correspond « IV, KRISTINA, 1944-1945 » ? Faites le lien avec le chapeau. Que constatez-vous ?

4. Regardez le texte : comment est-il composé ?

5. Lisez le passage : qui parle et à qui ? Mettez les initiales des prénoms des personnages devant chaque réplique. Dans la 1re réplique, « Les sœurs (...) filles... », c'est Johann qui parle.

Exploration

1. Paragraphe 1 : relevez les mots de langue étrangère. De quelle langue s'agit-il ? Qui a appris ces mots et à qui ? Qu'est-ce que la narratrice ne veut pas arrêter de faire ? À votre avis, pourquoi ? Quelle peut être la relation entre les deux personnages ?

2. Qui sont les « sœurs brunes » ? Quel est le rôle de ces personnes ici (pensez à la situation de l'Allemagne à cette époque) ? Comment jugez-vous ces actions ?

3. Répliques 2 et 3 de Johann : soulignez tout ce que font les « hommes en blouse blanche ». Sur quel critère les enfants sont-ils renvoyés ? Quel est le rôle des médecins ici ?

4. Dans le même passage, analysez le style (type de phrases, ponctuation, accumulation...). Quel est l'effet recherché ?

5. « Ils nous donnent des noms nouveaux. » : qui est « Ils » ? À votre avis, pourquoi font-ils cela ?

6. Soulignez la partie où l'enfant rapporte le discours des médecins : qu'expliquent-ils ? Comment traitent-ils les parents des enfants ? Quel est leur objectif et pourquoi ?

7. Maintenant, comprenez-vous pourquoi Johann a été « accueilli » dans la famille de Kristina ? Argumentez votre réponse.

8. « Si vous parlez (...) puni. » : quelle autre violence est faite aux enfants ? Quel en est le but et quelles peuvent être les conséquences possibles pour les enfants ?

Un Nègre à Paris

Le narrateur, Bertin Tanhoe, un Ivoirien, visite Paris et observe les manières du « Parisien », ses habitudes ; il écrit à un ami, qui vit à Dakar.

T'ai-je parlé du « pourboire » ? À l'origine, le vin du valet, le garçon. On lui donnait du vin pour le payer d'un service rendu, puis, avec le temps, ce vin au lieu d'être payé en nature, est donné en espèces. En somme on ne donnait plus à ce garçon, le boire mais le pourboire. Ne t'étonne donc pas que les gens ici tiennent à cette pratique vénérable. Ma première surprise dans Paris ? Ce fut le pourboire. Un chauffeur, après m'avoir promené près d'une heure à la recherche d'un hôtel, tourna enfin le bouton du compteur. Je payai.

– Ce n'est pas tout, Monsieur.

– C'est bien la somme indiquée, je pense.

– Certainement, mais le pourboire n'y est pas.

Je dus m'exécuter puisque c'est dans leurs lois, mais je trouve cela abusif. Que j'envoie un homme, je lui dois un pourboire, mais qu'un chauffeur fasse son travail et exige de moi un pourboire, je ne comprends pas. Que le garçon mette un certain empressement à me servir, je puis lui donner un pourboire, mais qu'il me fasse attendre et qu'ensuite, il s'arme de son crayon et me présente une note avec des pourcentages, je me révolte. Le Parisien trouve cela normal. Ça fait partie de ses mœurs. Et je me soumets. Je suis à Paris. Je subis ses lois.

Bernard B. Dadié, *Un Nègre à Paris*, Paris, © Présence africaine, 1959.

Bernard Binlin Dadié

(Assinié, Côte d'Ivoire, 1916)

Son père a combattu dans l'armée française pendant la guerre de 1914-1918. À son retour, il s'occupe de l'enfant, qui vit avec son oncle qui l'encourage dans ses études. En juin 1930, B. Dadié obtient son certificat d'études primaires grâce à un instituteur qui l'a pris en charge, puis est admis en 1936 à l'École Normale William Ponty de Gorée. Le spectacle de scènes violentes de la vie coloniale n'échappent pas à son regard. C'est un grand lecteur de journaux politiques. Dès 1933, il écrit une pièce de théâtre, *Les Villes*, suivie peu après de *Assemien Dahylé*. Il est journaliste et devient responsable de la presse du Parti Démocratique de Côte d'Ivoire. Il est emprisonné pendant 16 mois, après avoir participé aux manifestations de 1949 à Abidjan. Entre 1957 et 1977, il occupe de hautes fonctions au gouvernement (Éducation nationale, Beaux-Arts, Affaires culturelles). Il écrit des poèmes, *Afrique debout, La ville où nul ne meurt*, des contes, *La ronde des jours*, des romans, *Un Nègre à Paris, Patron de New York, Hommes de tous les continents*. Son théâtre, *Monsieur Thôgô-gnini, Béatrice du Congo, Les voix dans le vent*, dénonce de manière satirique l'exploitation de l'homme par l'homme.

Pour mieux comprendre

Un valet : un domestique, un serviteur.
En espèces : donner de l'argent (contraire : en **nature**).
En somme : en conclusion.
S'étonner : être surpris.
Vénérable : qui est respectable.
Dus : v. *devoir* au passé simple.
S'exécuter : obéir, faire ce qui est demandé ; se **soumettre**.
Abusif : exagéré, qui n'est pas juste.
Un empressement : le fait de faire rapidement et avec attention ce qui est demandé ; le zèle.
Se révolter : ne pas accepter, refuser.
Les mœurs : les habitudes, les coutumes des gens d'un pays.
Subir : accepter, supporter.

Découverte

1. Repérez le titre du livre d'où ce passage est extrait : de quels pays, de quelles personnes peut-il s'agir ? Faites des hypothèses sur le(s) sujet(s) de ce roman.

2. Observez la forme du texte : comment est-il composé ? À quoi correspondent les tirets ?

3. Lisez le chapeau (au-dessus du texte) : présentez le personnage, ce qu'il fait. S'il écrit à son ami, quel est alors le genre littéraire de ce livre ?

4. Lisez le texte. Quel est le mot le plus répété ? Que signifie-t-il et à quelles situations renvoie-t-il ? Que pensez-vous de cette coutume ?

Exploration

1. « T'ai-je (...) mais le pourboire. » : d'après les informations recueillies par le narrateur, faites la fiche d'identité du mot pourboire (origine, composition du mot, ses sens).

2. Sur quoi le narrateur met-il son ami en garde (« ne t'étonne donc pas ») ? Quel adjectif emploie-t-il pour qualifier cette « pratique » ? À votre avis, s'agit-il d'une critique, d'un compliment (Aidez-vous de la suite) ?

3. Quel exemple le narrateur donne-t-il pour illustrer ce qu'il dit ? À votre avis, pourquoi rapporte-t-il l'échange qu'il a eu avec l'autre personne ? Quel est l'effet produit ?

4. « Je dus (...) abusif. » : que fait-il ? Pourquoi ? Comment juge-t-il « cela » ? Comment auriez-vous réagi à sa place ?

5. Qu'est-ce qui est incompréhensible pour l'étranger ? Analysez les deux phrases commençant par « Que » (longueur/rythme, parallélismes, opposition...) : quel est le raisonnement du narrateur ?

6. « Le Parisien (...) ses lois » : quelle est la particularité de ces phrases et quel est l'effet produit ? Quelle sorte de voyageur Dadié met-il en scène ? Qu'en pensez-vous ?

7. Vous découvrez un pays étranger. Vous écrivez à un(e) ami(e) pour lui dire vos impressions, ce qui vous choque, vous surprend, vous plaît... À vos plumes !

Henri Verneuil

(Rostodo [Turquie], 1920 – Paris, 2002)

De son vrai nom Achod Malakian, Henri Verneuil est une référence dans le cinéma français, mais il est difficile de trouver son nom dans les anthologies littéraires, au même titre que d'autres écrivains d'origine arménienne (par exemple Victor Gardon). Quand il a 4 ans, ses parents fuient les persécutions perpétrées contre le peuple arménien et s'installent à Marseille. À la fin de ses études secondaires, il s'inscrit à l'École Nationale des Arts et Métiers d'Aix-en-Provence, obtient son diplôme d'ingénieur en 1943. Il est rédacteur en chef d'un journal, *Horizons*, de 1944 à 1946. Il devient critique de cinéma à la radio de Marseille.

Il arrive à Paris, monte un premier court métrage : *Escale au soleil* (1947), interprété par Fernandel et sélectionné la même année par le Festival de Cannes. Verneuil a tourné de nombreux films, parmi lesquels *Le Mouton à cinq pattes, Des gens sans importance, Le clan des Siciliens, La vache et le prisonnier, Un singe en hiver*... Il a écrit un seul roman, *Mayrig*, livre tendre et drôle, qui retrace le voyage, la fuite de sa famille, les débuts difficiles à Marseille, l'amour et le sacrifice d'une mère et de deux tantes exceptionnelles.

Mayrig

Suite au génocide du peuple arménien, le jeune narrateur et sa famille (son père, sa mère, ses deux tantes) ont fui leur pays. Ils sont depuis peu à Marseille.

Comme pour trouver notre chemin, les gestes, à défaut des mots, suffirent pour effectuer nos premiers achats d'urgence.

Mon père avait une gesticulation expressive, calquée d'aussi près que possible sur la réalité. Chez le droguiste, son poing fermé frottant le sol nous procura une bouteille d'eau de Javel, une serpillière et un balai. D'une main, imitant un robinet que l'on tourne, puis les deux mains se frottant l'une contre l'autre, déclenchèrent, avec le rire du marchand, deux gros carrés de savon de Marseille.

Transformé en mime, il communiquait aux gestes le relief des mots, et les produits de première nécessité s'empilaient dans notre sac en moleskine.

Il y eut un sérieux problème chez le boucher. Mon père regarda les viandes exposées sur l'étal, mais, visiblement, il ne trouvait pas ce qu'il cherchait. Quand ce fut notre tour, il essaya d'expliquer ce qu'il voulait en montrant une viande, puis en lui donnant une forme imaginaire que ses deux mains traçaient dans l'espace. Mais là, sa parole traduite par un langage corporel ne fut pas comprise. Il disait bien le mot dans les trois langues qu'il parlait mais personne ne comprenait le turc, le grec, ni l'arménien.

Les clients, le garçon boucher, la caissière, tous regardaient cet homme d'un autre monde, agitant ses bras en l'air pour parler probablement d'un animal fabuleux, inconnu en France.

Il y eut soudain un grand silence dans le magasin. Alors, désespéré, mon père frappa très fort, trois fois, contre sa cuisse droite et forma d'une voix chevrotante un bêlement :

« Bêêê ! »

Le mot partit d'un seul coup de toutes les poitrines. Cet homme voulait un gigot.

La tournée du pantomime se termina là.

L'acteur du mimodrame et son fils s'en allèrent vers leur maison.

J'ai honte, aujourd'hui, d'avoir eu honte ce jour-là.

Henri Verneuil, *Mayrig*, Paris, © Éditions Robert Laffont, 1985.

Pour mieux comprendre

Mayrig : signifie « maman » dans la langue arménienne.
À défaut de : en l'absence de.
Procurer : donner, apporter.
Déclencher : provoquer, faire apparaître.
Un mime : une personne qui s'exprime par les gestes.
Une gesticulation : exprimer quelque chose par des gestes, une **pantomime**.
Eut, v. *avoir* au passé simple.
Un étal : une table sur laquelle le boucher met la viande.
Ce fut, v. *être* au passé simple.
Fabuleux : extraordinaire, qui n'existe pas dans la réalité.
Un gigot : la cuisse, le haut de la patte du mouton, de l'agneau.
Un mimodrame : une œuvre de théâtre sans texte, avec des gestes, des danses ; une **pantomime**.

Découverte

1. Lisez le chapeau (au-dessus du texte) : présentez les personnages. Quelle est la situation ?

2. Reportez-vous à la biographie : à quelle époque se passe l'histoire ? Faites des recherches sur l'histoire du pays des personnages.

3. Quel est le titre d'où ce passage est extrait ? Que signifie-t-il (regardez « Pour mieux comprendre ») ? Faites des hypothèses sur le contenu de l'ouvrage.

4. Lisez le texte : qu'avez-vous compris ? De quel point de vue l'histoire est-elle racontée ? Il y a 10 paragraphes : numérotez-les.

Exploration

1. Paragraphe 1 : quel langage le père utilise-t-il pour demander un renseignement (un « chemin »), pour acheter quelque chose ? Dans quelle situation fait-on cela ?

   ....

2. Retrouvez dans le texte les mots/groupes de mots qui se rapportent à ce « langage » (paragraphes 2, 3, 4, 8 et 9). Quel rôle le père joue-t-il (paragraphes 3 et 9) ?

   ....

3. Lorsque le père et le fils vont chez le droguiste, que veulent-ils acheter ? Mimez les gestes que le père a faits pour cela. Quelle est la réaction du vendeur ?

   ....

4. Paragraphe 2 : soulignez « procura » et « déclenchèrent ». Retrouvez les sujets et les compléments de ces verbes. Sur quoi joue l'auteur et qu'est-ce qui est drôle ?

   ....

5. Pourquoi y a-t-il un « sérieux problème » chez le boucher ? Dans quelles langues le père s'exprime-t-il en plus des gestes ? Comment les personnes présentes considèrent-elles le père du narrateur ? Qu'en pensez-vous ?

   ....

6. Paragraphe 6 : quelle est l'atmosphère dans le magasin ? Quelles sont les deux dernières tentatives du père ? Quel cri d'animal imite-t-il ? Que voulait-il en fait (paragraphe 7) ?

   ....

7. Dans le dernier paragraphe, soulignez le mot répété. Repérez les deux adverbes de temps. À quel moment renvoient-ils ? Commentez cette phrase.

   ....

   ....

8. À votre avis, dans quelles situations peut-on ressentir le sentiment de la honte ?

   ....

   ....

Boris Schreiber

(Berlin, Allemagne, 1923)

Il est né de parents juifs qui ont fui la Russie au moment de la révolution bolchévique de 1917. La famille connaît de grosses difficultés : soupe populaire, humiliation des émigrés. Dès l'âge de 6 ans, le petit garçon a conscience de la dureté du monde. En 1931, son père retrouve du travail à Paris et la famille s'installe dans un hôtel modeste près du Panthéon. À l'école, Boris est fasciné par la langue, l'histoire et la littérature françaises, mais il doit aussi affronter la xénophobie de ses camarades. Dès 12 ans, il écrit des poèmes, tient un journal intime, soutenu par l'admiration de sa mère. Il rencontre André Gide qui encourage « l'enfant prodige ». Pendant la Seconde Guerre mondiale, la famille fuit à nouveau et s'installe à Marseille. Plus tard, la réussite professionnelle du père permet à Boris de se consacrer à l'écriture. Beaucoup d'éditeurs refusent ses livres et en l'absence de toute médiatisation, il peine à trouver un public. Il se bat durant des années pour s'imposer. Il écrit de nombreux romans, souvent inclassables, provocateurs : *Les Heures qui restent* (1958), *La Rencontre des absents* (1963), *La traversée du dimanche* (1987), *Un silence d'environ une demi-heure* (1996) qui reçoit le prix Renaudot, *Hors-les-murs* (1998), *La douceur du sang* (2003).

Le tournesol déchiré

Dans les années 1930, à Paris, dans la chambre d'hôtel où ils vivent, les parents du narrateur reçoivent à dîner un ami, qui leur parle.

– Genia, Volodia, votre fils va entrer dans un établissement réputé. Ce n'est qu'un premier pas.

– C'est-à-dire ?

– C'est-à-dire qu'en plus d'une éducation française, il lui faudrait une nourriture française. Genia, ce repas est très bon mais donner chaque soir à un enfant des harengs, du saucisson, du foie haché. Non !

Il expliqua : les Français préparent des potages, des légumes, des fruits. Il fallait prendre exemple sur eux. L'alimentation russe est beaucoup trop grasse. Leurs parents* écoutaient. Et suivirent ses conseils : aliments mis dans des boîtes spéciales, et non plus entassés dans leurs papiers d'emballage. Un samedi après-midi, ils entrèrent tous les trois chez un marchand de couleurs, à l'angle de la rue Monge. Ils contemplèrent les pots de faïence pour chaque produit, alignés sur des étagères : sel, sucre, poivre, épices. Quel choix ! Leur mère*, de temps à autre :

– Nous n'avions rien de pareil en Russie ni même en Allemagne. Pourtant nous vivions dans le luxe.

– Genetchka, qu'en sais-tu ? Tu n'as jamais eu à t'occuper de la cuisine ni du ménage. Et puis, les Russes ne sont-ils pas des barbares ?

Il l'embrassa très vite sur la nuque et, intrigué soudain, se pencha au-dessus du comptoir central où d'autres récipients s'alignaient. L'un d'eux avait attiré son attention : une coupole posée sur une assiette, ensemble de couleur ocre, telle de l'argile solidifiée.

– C'est un beurrier, expliqua le vendeur.

– Pour quoi faire ?

– Pour maintenir le beurre au frais.

Leurs parents* s'extasiaient, commentaient : « Dans quoi mettions-nous le beurre, chez nous, à Moscou ? À Berlin ? » Tous trois circulaient parmi les rayons, comme au milieu d'œuvres d'art et le retour fut joyeux avec les paquets. Au dîner, leur mère*, péremptoire : « Je vais te dire, Volenka, chez nous on mettait le beurre sur une assiette. Tout simplement. Et le reste aussi. Beurrier, sucrier, salière, mon Dieu ! Quand j'y pense ! Tout dans des assiettes ! » La chambre-cuisine devenait moins froide. N'étaient les cafards et le sol en ciment, c'eût été, pour eux tout au moins, le début du luxe.

---

* Le narrateur parle de lui toujours à la troisième personne du pluriel : « ils » (expression d'un moi/il « angoissé ») ; « leurs parents » = ses parents. La mère s'appelle Genia/Genetchka, le père, Volodia/Volenka.

Boris Schreiber, *Le tournesol déchiré*, Paris, © Éditions François Bourin, 1989.

Pour mieux comprendre

Réputé : C'est le collège Sainte-Barbe, un établissement privé renommé où la scolarité est assez chère.

Un marchand de couleurs : qui vend des produits d'entretien…

Contempler, s'extasier : admirer.

Un barbare : le contraire de « civilisé ».

Intrigué : étonné.

Péremptoire : qui est sûr de soi.

Un tournesol : une grande fleur jaune qui se tourne toujours vers le soleil.

N'étaient les cafards (…) c'eût été : s'il n'y avait pas **les cafards** (insectes marron ou noirs), cela aurait été…

ACTIVITÉS

Découverte

1. Lisez le chapeau (au-dessus du texte) et dites quelle est la situation.
2. Reportez-vous à la biographie : où les parents de l'auteur sont-ils nés ? Quelle est la situation financière de la famille dans les années 1930 ? Où vit-elle ?
3. L'avant-dernière phrase du passage proposé précise où habite la famille : quelles peuvent être ses conditions de vie ?
4. Dans le texte, soulignez les groupes de mots suivis d'un astérisque (*) et reportez-vous à la note en bas du texte : quelle précision apporte-t-elle sur l'auteur ? Que pensez-vous de ce choix d'écriture ?
5. Quel est le titre de l'œuvre d'où le passage est extrait ? Comment le comprenez-vous (faites le lien avec la réponse à la question 4) ?

Exploration

1. Lisez le texte. Il est composé de trois mouvements (parties) : retrouvez-les. Quelle est l'idée générale de chacun d'eux ?

   ....

2. Dans quel établissement Boris sera-t-il scolarisé ? Précisez votre réponse en regardant « Pour mieux comprendre ». Souvenez-vous de la situation financière des parents et dites ce que l'école représente pour eux.

   ....

3. Selon vous, y a-t-il un lien logique entre les deux répliques de l'ami ? Développez votre réponse. Quelle explication apporte-t-il ? Qu'en pensez-vous ? Quelle est la réaction des parents et comment la comprenez-vous ?

   ....

4. Que découvre la famille chez le marchand de couleurs ? Qu'est-ce qui attire spécialement l'attention du père et pourquoi, à votre avis ?

   ....

5. Soulignez « contemplèrent », « intrigué », « s'extasiaient » : à quel champ lexical ces mots appartiennent-ils ? Retrouvez d'autres fragments qui expriment ces sentiments.

   ....

6. Pour la famille, qu'est-ce qui différencie sa vie à Moscou/Berlin de celle à Paris ? Quelles en sont les conséquences (fin du texte) ? Les comprenez-vous ? Développez votre réponse.

   ....

7. Finalement, la famille exilée adopte certaines habitudes, ici alimentaires et utilitaires, de la société d'accueil. Quelle serait votre attitude dans une telle situation ? Argumentez votre position.

   ....

Comment peut-on être français ?

Chahdortt Djavann

(Azerbaïdjan, Iran, 1967)

Cette écrivaine qui se dit « née révoltée » et française grandit à Téhéran auprès de sa mère et quatre de ses frères et sœurs. Son père, Pacha Khan, un grand seigneur, est emprisonné en 1979. Enfant, elle a conscience de ce que signifie la liberté mais pour vivre libre, elle doit fuir le régime des islamistes. C'est l'exil qui l'attend : elle quitte son pays, passe par Istanbul et arrive à Paris en 1993. Ses débuts dans la capitale sont difficiles : elle ne parle pas français et doit accepter de faire des petits boulots pour gagner sa vie. Elle suit des cours d'anthropologie à l'École des Hautes Études en Sciences Sociales. En 2002, sort son premier roman, *Je viens d'ailleurs*. Elle connaît le succès avec *Bas les voiles !* (2003), texte critique sur le port du voile. En 2004, elle publie un essai, *Que pense Allah de l'Europe ?* et un roman, *Autoportrait de l'autre*. Le titre de son dernier roman, *Comment peut-on être français ?* est un clin d'œil à la célèbre question « Comment peut-on être persan ? » des *Lettres persanes* de Montesquieu.

Lettre I

À mon cher géniteur, Monsieur de Montesquieu,

Cela vous surprendra au plus haut point de recevoir, après trois siècles, des nouvelles de votre créature imaginaire, Roxane. Cher Monsieur, je suis une jeune femme persane, nommée Roxane ! Et je vis depuis un an dans votre pays. Pour votre information, nous sommes en l'an 2000, oui, ça vous paraît invraisemblable, et pourtant c'est vrai. Auriez-vous pu penser, cher Montesquieu, il y a trois siècles, lorsque, pour déjouer les représailles de l'Église et du Roi, vous faisiez tenir votre merveilleuse plume par vos Persans imaginaires, qu'un jour, une vraie Roxane pourrait lire à Paris la magnifique satire de la France et de l'Orient que sont vos *Lettres persanes* ?

Puisque vous m'avez si bien imaginée, si bien créée, dans vos lettres, il me revient de vous imaginer à mon tour, vous sans qui il me plaît de croire que je n'aurais peut-être jamais existé.

Je suis née en Azerbaïdjan et j'ai grandi à Téhéran. J'ai quitté mon pays à l'âge de vingt-trois ans. Je suis loin d'être le premier Persan que le régime des mollahs ait fait fuir l'Iran.

Trois siècles après les *Lettres persanes*, le spectacle de la vie parisienne surprend, séduit et charme encore une enfant de la Perse. Paris a quelque chose de fort singulier que j'ai du mal à nommer. La sensualité, le raffinement et l'élégance sont peut-être les mots qui conviendraient le mieux.

Mon étonnement ne fut pas moins grand que celui de votre Usbek et de votre Rica (ma tendresse va spontanément à Rica, qui a le regard acéré, l'humeur joyeuse et le scepticisme allègre) de voir la liberté des femmes en Occident.

Chahdortt Djavann, *Comment peut-on être français ?*,
Paris, © Éditions Flammarion, 2006.

Pour mieux comprendre

Un géniteur : celui qui donne la vie, le père.

Invraisemblable : ce qui ne semble pas vrai.

Déjouer : tromper les mesures de violence (les **représailles**) du roi Louis XV pour éviter la censure.

Une satire : une critique très dure.

Un mollah : un savant en droit musulman, un chef religieux.

Un étonnement : une surprise.

Fut : v. *être* au passé simple.

Usbek et Rica : deux personnages de l'œuvre de Montesquieu (philosophe français du XVIIIe siècle, auteur du roman épistolaire intitulé *Lettres persanes*), qui voyagent en Europe (Italie, France) et dont le regard « étonné », sévère, **acéré** sert à critiquer la société persane et française. **Roxane** est une des femmes d'Usbek, restée en Perse, enfermée dans le harem.

Un scepticisme allègre : le fait de ne pas croire ce qui est dit, de douter de tout avec ironie.

Découverte

1. Commentez le titre du livre d'où ce passage est extrait. Dans quelle situation peut-on dire cela ?
2. Regardez le texte comme une image : quel est son genre littéraire ?
3. Repérez les noms propres et les groupes de mots en italique. Quelles remarques et hypothèses pouvez-vous faire ?
4. Lisez le texte : qui écrit à qui ? Qui est Montesquieu ? À quel siècle a-t-il vécu ? Que pensez-vous d'un tel échange ?
5. Soulignez la formule d'adresse (première phrase qui se termine par une virgule) : par quels mots le destinataire est-il nommé ? Que pensez-vous du choix de ces mots ?

Exploration

1. Quelles sont les différences et les ressemblances entre les deux Roxane (aidez-vous de « Pour mieux comprendre ») ? Faites le portrait de chacune d'elles.

   ....

   ....

2. Qu'a fait Montesquieu pour éviter (« déjouer ») la censure (« les représailles du roi et de l'Église ») ? Pourquoi à votre avis ? Que voulait-il faire ?

   ....

   ....

3. Paragraphe 4 : quel effet produit sur la narratrice « le spectacle de la vie parisienne » ? Que veut-elle dire en employant le mot « spectacle » ? Qu'en pensez-vous ?

   ....

   ....

4. Soulignez les trois noms utilisés pour essayer de définir la singularité de Paris. Êtes-vous d'accord avec ces appréciations ? Développez votre réponse.

   ....

   ....

5. Dernier paragraphe : en Occident, qu'est-ce qui étonne autant la Roxane d'aujourd'hui qu'Usbek et Rica du XVIIIe siècle ? Commentez cette particularité.

   ....

   ....

6. Montesquieu répond à la « vraie » Roxane : rédigez cette lettre !

   ....

   ....

   ....

Il est bon que personne ne nous voie

Michel Layaz

(Montet [Fribourg], Suisse, 1963)

Après des études de Lettres à l'Université de Lausanne, il devient professeur et dirige en même temps une galerie d'art. En 1992, il fait un voyage de 6 mois autour de la Méditerranée et publie son premier roman, *Quartier terre*. En 1995, paraît *Le café du professeur*. Entre 1996 et 1997, il est membre de l'Institut Suisse de Rome où il écrit *Ci-gisent* (1998, prix Édouard Rod). Puis suivront *Les légataires*, *Les larmes de ma mère* (2003) qui obtient le prix Dentan ainsi que le prix des auditeurs 2004 de la Radio Suisse Romande. Ce livre lui assure une reconnaissance auprès du public en France et en Suisse. En 2004 sont publiés *La joyeuse complainte de l'idiot* dont les héros vivent dans un asile psychiatrique et *Le Nom des pères*, un recueil de trois nouvelles. Au Salon du Livre de Paris 2006, où la Francophonie était à l'honneur, Michel Layaz a été choisi avec d'autres auteurs dont Agota Kristof pour représenter la Suisse. *Il est bon que personne ne nous voie* est son dernier roman.

En Suisse. Le narrateur est un jeune garçon de 15 ans.

(…) Milena vit dans notre pays depuis six mois. À cause d'une guerre qui n'intéresse personne, elle est arrivée ici, dans un pays qui n'a jamais rien su de la guerre. Elle ne parle pas bien le français. Aux récréations, elle passe d'un groupe à l'autre, elle se plante parmi quelques élèves, d'un bond pesant, puis elle reste là, sans rien dire. Milena s'intéresse aux gens d'ici, mais elle s'y prend mal, et personne ne lui tend la main, personne n'accepte son passé, sa gêne, ses confusions, aucune fille ne devient son amie. Alors on la laisse seule. Les sourires de Milena se dissipent et se dessèchent avant même d'avoir eu le temps de fleurir. Avec Milena, je ne suis pas meilleur que les autres. Je manque de forces. Je lui concède peut-être quelques sourires, mais je ne lui laisse pas le temps de s'y accrocher. Et puis j'ai oublié Milena. J'aurais pu l'oublier longtemps. Mais soudain, j'apprends que Milena m'aime. Elle qui a tellement besoin d'être aimée m'aime. Peut-être que moi aussi je pourrais l'aimer.

Michel Layaz, *Il est bon que personne ne nous voie*,
Genève, © Éditions Zoé, 2006.

Pour mieux comprendre

A (…) su : v. *savoir* au passé composé.

La récréation : dans les écoles, c'est un moment de repos, une pause, où les élèves s'amusent.

Se planter : arriver à un endroit et se tenir debout, sans bouger.

Un bond pesant : le fait de sauter de manière lourde, sans élégance.

S'y prendre mal : faire des choses de façon maladroite.

La gêne : une peine, une condition difficile, le fait de ne pas se sentir bien.

Une confusion : le fait de ressentir de la **gêne**, de la honte.

Dissiper : disparaître.

Se dessécher : devenir sec.

Concéder : accorder, donner.

Découverte

1. Lisez le chapeau (ce qui est écrit au-dessus du texte) : quelle est la nationalité du narrateur ? Que savez-vous du pays où il vit ? Faites des recherches. Qui raconte l'histoire ?
2. Comment comprenez-vous le titre du livre d'où ce passage est extrait ? Qui « nous » peut-il représenter ?
3. Lisez la première phrase : de qui parle le narrateur ? Soulignez ce nom dans tout le texte : combien de fois est-il répété ? Quel est l'effet produit ?
4. Depuis combien de temps Milena vit-elle dans ce « pays » et à votre avis pourquoi est-elle là ?
5. Lisez le texte : que comprenez-vous ?

Exploration

1. Pourquoi Milena a-t-elle quitté son pays ? Quelle est l'attitude de tout le monde et de ce pays en particulier par rapport à cette situation ? Comprenez-vous cette attitude ? Développez.

   ....

2. Relisez la deuxième phrase : par quels procédés de style (parallélisme, reprise...) le narrateur décrit-il les deux situations ?

   ....

3. « Elle ne (...) seule » : qu'est-ce qui oppose Milena aux autres élèves ? Quelle est son attitude face à ses camarades ?

   ....

4. Que pensez-vous du jugement du narrateur : « Mais elle s'y prend mal » ? Quelle en est la conséquence pour Milena ? Comment cette idée est-elle développée (répétition...) ?

   ....

5. « Avec Milena (...) s'accrocher. » : quel jugement le narrateur porte-t-il sur lui-même ? Expliquez la phrase « je manque de forces ». Qu'a-t-il pourtant essayé de faire (« concède ») ? Finalement en quoi son attitude ressemble à celle des autres ?

   ....

6. Les 5 dernières phrases : quel verbe répété montre le peu d'intérêt du narrateur pour Milena ? Qu'apprend-il ? Combien de fois ce mot est-il repris ? Comparez l'attitude des deux personnages (repérez le temps des verbes).

   ....

   ....

7. Milena tient un journal dans lequel elle raconte ce qu'elle vit dans ce pays étranger, en particulier à l'école. Vous êtes Milena, écrivez une page de son journal.

   ....

   ....

Fin de partie

Samuel Beckett

(Dublin, Irlande, 1906 – Paris, 1989)

Il est né en 1906 à Dublin dans la bourgeoisie protestante irlandaise. Il termine ses études de français et d'italien et vient à Paris en 1928 comme lecteur à L'E.N.S. (École Normale Supérieure), où il rencontre James Joyce. En 1931, il consacre un essai en anglais à Proust, écrivain qui aura une grande influence sur son œuvre. Ses errances en Europe le laissent sans illusions et le ramènent à Londres où il publie des romans d'abord en anglais : *Murphy* (1938), mais sa vocation reste le théâtre. Il entre dans la Résistance pendant la Seconde Guerre mondiale. Il publie en français des romans : *Molloy, Malone meurt* (1951), *L'Innommable* (1953) et des pièces : *En attendant Godot* (1953), *Fin de partie* (1957), *Oh ! les beaux jours* (1963). Il reçoit le prix Nobel de littérature en 1969. Son théâtre est le reflet de la condition humaine, il exprime la hantise du néant, l'attente, l'ennui et la solitude. Beckett passe la majorité de sa vie en France où il meurt en 1989.

Hamm est aveugle, dans une chaise roulante. Clov est à ses côtés pour l'aider.

HAMM. – Finie la rigolade. *(Il cherche en tâtonnant le chien.)* Le chien est parti.
CLOV. – Ce n'est pas un vrai chien, il ne peut pas partir.
HAMM *(tâtonnant)*. – Il n'est pas là.
CLOV. – Il s'est couché.
HAMM. – Donne-le. *(Clov ramasse le chien et le donne à Hamm. Hamm le tient dans ses bras. Un temps. Hamm jette le chien.)* Sale bête ! *(Clov commence à ramasser les objets par terre)*. Qu'est-ce que tu fais ?
CLOV. – De l'ordre. *(Il se redresse. Avec élan.)* Je vais tout débarrasser !

Il se remet à ramasser.

HAMM. – De l'ordre !
CLOV *(se redressant)*. – J'aime l'ordre. C'est mon rêve. Un monde où tout serait silencieux et immobile et chaque chose à sa place dernière, sous la dernière poussière.

Il se remet à ramasser.

HAMM *(exaspéré)*. – Mais qu'est-ce que tu fabriques ?
CLOV *(se redressant, doucement)*. – J'essaie de fabriquer un peu d'ordre.
HAMM. – Laisse tomber.

Clov laisse tomber les objets qu'il vient de ramasser.

CLOV. – Après tout, là ou ailleurs.

Il va vers la porte.

HAMM *(agacé)*. – Qu'est-ce qu'ils ont, tes pieds ?
CLOV. – Mes pieds ?
HAMM. – On dirait un régiment de dragons.
CLOV. – J'ai dû mettre mes brodequins.
HAMM. – Tes babouches te faisaient mal ?

Un temps.

CLOV. – Je te quitte.
HAMM. – Non !
CLOV. – À quoi est-ce que je sers ?
HAMM. – À me donner la réplique.

Samuel Beckett, *Fin de partie*, Paris, © Éditions de Minuit, 1957.

Pour mieux comprendre

La rigolade (familier) : le rire, l'amusement.
Tâtonner : essayer de trouver un objet avec ses mains quand on ne voit rien.
Débarrasser : enlever ce qui gêne.
Exaspéré : très énervé, **agacé**.
Laisser tomber : 1) au sens propre : laisser tomber quelque chose par terre ; 2) au sens figuré : abandonner une activité, ne pas continuer.
Un régiment : une armée.
Des brodequins : des chaussures montantes de marche.
Babouches : des chaussures en cuir (pantoufles) portées dans les pays orientaux.
Donner la réplique : au théâtre, donner la réponse pour permettre le dialogue.

ACTIVITÉS

Découverte

1. Qui est l'auteur de cet extrait ? Que savez-vous de lui, de son œuvre ?
2. Observez le texte : comment est-il composé ? Quel est son genre littéraire ? Relevez le nom des personnages et dites à quoi ils vous font penser.
3. Lisez le chapeau : quelle est la situation des personnages ? Qu'a-t-il pu arriver à l'un d'entre eux ?
4. Comment comprenez-vous le titre de la pièce d'où ce passage est extrait ?
5. Lisez le texte : quel est le rôle des indications en italique (les didascalies) ? Numérotez les répliques.

Exploration

1. Répliques 1, 3 et 5 : soulignez les indications entre parenthèses. Quels gestes fait Hamm ? Que constate-t-il lorsqu'il parle à Clov ? Que lui ordonne-t-il ? De quelle manière se comporte-t-il avec l'animal ?
2. Que répond Clov (répliques 2 et 4) lorsque Hamm dit que « le chien est parti » ? Est-ce une réponse attendue ? Pourquoi ?
3. Quelle activité Clov fait-il ensuite (répliques 6 et 8) ? Pourquoi ? Soulignez les indications qui sont reprises : quelle est l'impression produite ?
4. Comment réagit Hamm (réplique 9) ? Que demande-t-il juste après à Clov (réplique 11) ? Qu'indique la phrase en italique qui suit ? À votre avis, comment Clov a-t-il interprété la phrase de Hamm (Aidez-vous de « Pour mieux comprendre ») ?
5. Repérez la phrase qui indique un déplacement de Clov : où se dirige-t-il ? Dans les répliques suivantes, quel sentiment provoque-t-il chez Hamm ? Quel est leur nouveau sujet de discussion ? Qu'en pensez-vous ?
6. Que signifie l'indication « *Un temps* » ? Qu'annonce Clov à Hamm ? Y a-t-il un lien avec ce qui précède ? Comment réagit Hamm ? À quoi lui sert Clov ? Qu'en pensez-vous ?
7. Finalement, de quoi Hamm et Clov ont-ils vraiment parlé ? Qu'ont-ils à se dire, au fond ? Quel message a voulu transmettre Beckett ?

Le Roi se meurt

Eugène Ionesco

(Slatina, Roumanie, 1912, Paris, 1994)

Il est né d'un père roumain et d'une mère française. Il s'installe définitivement en France en 1938. Ses premières pièces, *La Cantatrice chauve* (1950) et *La Leçon* (1951), sont encore jouées dans un petit théâtre du Quartier latin, à Paris. *Les Chaises* (1952), *Rhinocéros* (1958), *Le Roi se meurt* (1962) font scandale car elles s'attaquent aux formes traditionnelles du genre dramatique et expriment le malaise des êtres humains.

Dans ses écrits critiques, *Notes et Contre-Notes* (1962), il refuse la psychologie du personnage pour s'intéresser à l'angoisse, au vide menaçant du langage. Son goût pour la caricature, l'excès, le comique et l'humour créent des situations tragi-comiques qui dénoncent l'absurdité des conventions sociales. Qualifiant son théâtre d'« anti-théâtre », sa recherche s'articule autour de la peur de la solitude, du bien et du mal, de la hantise de la mort, thèmes que l'on retrouve dans le *Journal en miettes* (1967-1968). Il est élu à l'Académie française en 1970.

Le roi Béranger Ier a deux épouses : Marguerite est la première et Marie la seconde. Le médecin est venu pour opérer le roi.

MARGUERITE, *se dirigeant vers le Roi.*

Sire, je dois vous mettre au courant.

MARIE

Non, taisez-vous.

MARGUERITE, *à Marie.*

Taisez-vous.

MARIE, *au Roi.*

Ce n'est pas vrai ce qu'elle dit.

LE ROI

Au courant de quoi ? Qu'est-ce qui n'est pas vrai ? Marie, pourquoi cet air désolé ? Que vous arrive-t-il ?

MARGUERITE, *au Roi.*

Sire, on doit vous annoncer que vous allez mourir.

LE MÉDECIN

Hélas, oui, Majesté.

LE ROI

Mais je le sais, bien sûr. Nous le savons tous. Vous me le rappellerez quand il sera temps. Quelle manie avez-vous, Marguerite, de m'entretenir de choses désagréables dès le lever du soleil.

MARGUERITE

Il est déjà midi.

LE ROI

Il n'est pas midi. Ah, si, il est midi. Ça ne fait rien. Pour moi, c'est le matin. Je n'ai encore rien mangé. Que l'on m'apporte mon breakfast. À vrai dire, je n'ai pas trop faim. Docteur, il faudra que vous me donniez des pilules pour réveiller mon appétit et dégourdir mon foie. Je dois avoir la langue saburale, n'est-ce pas ?

Il montre sa langue au Docteur.

LE MÉDECIN

En effet, Majesté.

LE ROI

Mon foie s'encrasse. Je n'ai rien bu hier soir, pourtant j'ai un mauvais goût dans la bouche.

LE MÉDECIN

Majesté, la reine Marguerite dit la vérité, vous allez mourir.

LE ROI

Encore ? Vous m'ennuyez ! Je mourrai, oui, je mourrai. Dans quarante ans, dans cinquante ans, dans trois cents ans. Plus tard. Quand je voudrai, quand j'aurai le temps, quand je le déciderai. En attendant, occupons-nous des affaires du royaume.

Eugène Ionesco, *Le Roi se meurt*, Paris, © Éditions Gallimard, 1963.

Pour mieux comprendre

Désolé : triste.
Sire, Majesté : titres donnés aux rois.
Une manie : une habitude bizarre.
Dégourdir : soigner, rendre plus efficace.
Saburale : une langue chargée, à la suite de trop de nourriture ou d'alcool.

ACTIVITÉS

Découverte

1. Qui est l'auteur de cet extrait ? Que savez-vous de lui, de son œuvre, de ce qu'il a apporté à la littérature (aidez-vous de la biographie) ?
2. Regardez le texte : de quel genre littéraire s'agit-il ? Qui sont les personnages ?
3. D'après le titre du livre, de quel événement est-il question exactement ?
4. Lisez les informations dans le chapeau (au-dessus du texte) : dites où se passe la scène, quelle est la relation entre les personnages, la situation.
5. Lisez le texte : quelles sont vos impressions ? À quoi servent les indications en italique ? Numérotez les répliques.

Exploration

1. Répliques 1 à 7 : quelle nouvelle Marguerite apprend-elle au roi ? Quelles sont les réactions de Marie ? Laquelle des deux reines semble plus proche du roi ? Justifiez votre réponse.
2. Réplique 5 : que remarque le roi chez Marie ? Comment imaginez-vous l'attitude de la femme sur scène ?
3. Réplique 8 : observez la construction des deux premières phrases (parallélisme, répétition) : qu'est-ce que le roi souligne ? Qu'est-ce qui peut faire rire dans la phrase suivante ?
4. Soulignez de « dès le lever du soleil » jusqu'à « le matin » : sur quoi les personnages ne sont-ils pas d'accord ? Est-ce possible ? Justifiez votre réponse. Sur quoi repose le comique (mots, sens, reprise) ? Que veut montrer Ionesco ?
5. Relisez de « Docteur, il faudra... » jusqu'à la réplique 13 : de quoi se plaint le roi ? Que demande-t-il au médecin et que répond ce dernier ? Comment analysez-vous cette situation ?
6. Réplique 14 : quels sentiments du roi traduisent les deux premières phrases (regardez la ponctuation) ? Analysez le sens et le style de la suite de la réplique (répétition....) : à quoi sert ici le langage ?
7. Le pouvoir peut-il décider de tout ? Organisez un débat entre vous.

Sony Labou Tansi

(Kiwanza, R. D. Congo, 1947 – Brazzaville, Congo, 1995)

Il est considéré comme le chef de file de la nouvelle génération d'auteurs africains. Il passe son enfance en RDC, auprès de sa grand-mère qui l'initie à la tradition bantoue. Après des études au Congo, il devient professeur d'anglais. Mais c'est le théâtre qui le passionne et à partir de 1980, il dirige le *Rocado Zulu Théâtre* qui se produira à l'étranger, et notamment en France au festival des Francophonies de Limoges. Ses pièces : *Conscience de tracteur, La Parenthèse de sang, Je soussigné cardiaque, Antoine m'a vendu mon destin* (mise en scène de Daniel Mesguisch, 1986), *Moi, veuve de l'Empire, Une chouette petite vie bien osée* ont une dimension politique qui vise à éveiller les consciences et à tourner en ridicule les pouvoirs en place. L'influence des grands romanciers latino-américains (Garcia Marquez) et aussi de Rabelais se fait sentir dans son œuvre écrite dans un français réinventé, qui dérange. Ses romans, *La vie et demie, L'État honteux, L'Anté-peuple* (Grand Prix de l'Afrique noire), *Le Commencement des douleurs,* sont des histoires qui mettent en scène la barbarie de l'homme. Il a reçu le prix Francophonie de la Société des Auteurs et Compositeurs Dramatiques pour l'ensemble de son œuvre.

La parenthèse de sang

Des soldats arrivent de la capitale d'un pays africain : ils recherchent Libertashio, un opposant au pouvoir. Ramana, sa fille, leur montre la tombe où son père est enterré.

Le sergent, *aux soldats.* – Section, rassemblement !
(Les soldats viennent se planter au garde-à-vous.)
Creusez cette tombe. En vitesse !

Marc, *au sergent.* – Qu'est-ce que tu fais ?

Le sergent. – J'en ai par-dessus le c… Non. Qu'on tire ça au clair avant qu'on ne s'affole tous. Tout un pays de fous. Cette tête, qu'on l'emmène. Je crois que cette fois la capitale finira bien par comprendre QUE LIBERTASHIO EST MORT.
(Marc dégaine et tire sur le sergent.)

Le sergent. – Marc, pourquoi as-tu tiré ? M… M… mort !
(Il s'écroule.
Marc prend ses galons et, en une brève cérémonie incompréhensible de ceux de la maison, ses camarades le font sergent, et trinquent à son succès.)

Le sergent Marc, *aux soldats.* – Les lâches, on les enterre la nuit. Le cimetière n'est pas loin. Il a droit à soixante-quinze centimètres de terre. *(Un temps.)* C'était d'ailleurs un brave garçon ; bien qu'il ne soit pas de la tribu du président, il servait loyalement. Donc mettez-lui quelques minutes de silence. Qu'il ne soit pas enterré couché sur le ventre comme les lâches. Mettez-le sur le côté droit, fermez ses yeux. Laissez-lui le haut de l'uniforme, brûlez le bas.
(Les soldats emmènent le cadavre du sergent après quelques maigres honneurs. Marc n'a pas pris part aux obsèques. Il se fait verser du vin dans le chapeau et boit pendant que les autres enterrent.)

Ramana, *à Marc.* – Pourquoi l'avez-vous tué ?

Marc. – On tue les déserteurs : c'est la loi des armes.

Ramana : – C'est quoi un déserteur ?

Marc. – Est déserteur tout soldat en tenue qui dit que Libertashio est mort.

Ramana : – C'est la vérité. Papa est mort.

Marc. – La vérité des civils.

Ramana, *naïve.* – La vérité : il est mort.

Marc. – Mort ou pas mort, la loi interdit de croire à la mort de Libertashio : donc il n'est pas mort.

Sony Labou Tansi, *La parenthèse de sang*, Paris, © Hatier International, 1981.

Pour mieux comprendre

En avoir par-dessus le c… : expression familière pour dire en avoir assez.
S'affoler : prendre peur, devenir fou.
Dégainer : sortir le pistolet de son étui.
Trinquer : boire à la santé de quelqu'un.
Les galons : dans l'armée, des bandes de tissu qui distinguent les grades des soldats (officier, **sergent**, caporal…).
Un lâche : une personne qui manque de courage.
Un déserteur : un militaire qui abandonne son armée sans permission.
Une parenthèse : un épisode, un court moment.

ACTIVITÉS

Découverte

1. Regardez le texte : comment est-il composé ? À quel genre littéraire appartient-il ?
2. Lisez le chapeau (au-dessus du texte) : qui sont les personnages ? Quelle est la situation ?
3. Où est le personnage recherché ? Retrouvez au début du texte un groupe de mots en majuscules : qu'est-il arrivé à ce personnage ?
4. En vous aidant de « Pour mieux comprendre », dites comment vous comprenez le titre de la pièce.

Exploration

1. Lisez le texte et numérotez les répliques. Quelles sont vos premières impressions ? Quels ordres le sergent donne-t-il aux soldats ? Pourquoi ?

   ....

2. Le sergent veut en finir avec cette affaire (« Qu'on tire (...) clair ») : que veut-il emmener ? Quelle est la réaction de Marc ? Comment comprenez-vous son geste ?

   ....

3. « *Marc prend ses (...) succès* » : que fait Marc après la mort du sergent ? Qu'organisent les soldats et dans quel but ? Qui commande désormais ? Analysez cette situation.

   ....

4. Réplique 5 : comment Marc juge-t-il d'abord le sergent mort ? Puis après (*Un temps*), comment le considère-t-il ? Que pensez-vous de ce changement ?

   ....

5. Répliques 6 à 9 : que répond Marc aux questions de Ramana ? Comparez sa définition de *déserteur* à celle de « Pour mieux comprendre » : qu'est-il en train de faire exactement ?

   ....

6. Par deux fois, quelle vérité Ramana tente-t-elle de faire savoir à Marc ? Comment juge-t-il cette « vérité » ? Que signifie son attitude ?

   ....

   ....

7. « Mort ou pas mort (...) pas mort. » : qui la « loi » représente-t-elle ? Quelle est la « logique » de Marc et quelle conclusion impose-t-il ?

   ....

   ....

8. Dans ce passage, qu'est-ce que Sony Labou Tansi a mis en scène ? Développez votre réponse dans un court texte argumenté.

   ....

   ....

Boucherie de l'espérance

Un coq chante.

MOÏSE :
Tiens, ce bon vieux coq !
Nous allons fêter
Mon retour sur la Terre promise.
Moïse va vers le coq.

MOHAMED :
Ma parole, il se croit chez lui !
Il court après mon coq.
Mais c'est peut-être pour l'acheter.
Moïse revient avec le coq.

MOÏSE :
Shalom.

MOHAMED :
Salam.

MOÏSE :
Si tu veux, je t'invite
À partager ce coq.

MOHAMED :
J'allais précisément
T'inviter à ma table.

MOÏSE :
Tu m'inviteras plus tard,
Quand tu seras chez toi.

MOHAMED :
Mais je suis chez moi.

MOÏSE :
Non, tu es chez moi.

MOHAMED :
Tu te trompes, mon vieux,
Nous sommes dans mon douar,
Et ce coq m'appartient.

MOÏSE :
Je te dis que tu es chez moi.

MOHAMED :
Allons, tu déraisonnes.
Quel est le nom de ton douar ?

MOÏSE :
Israël. Et le tien ?

MOHAMED :
Palestine.

MOÏSE :
Israël, c'est ici.

MOHAMED :
Non, c'est la Palestine,
Et si ce coq pouvait parler…

MOÏSE :
Il dirait Israël.

MOHAMED :
Il dirait Palestine.

LE COQ :
Cocorico !

MOÏSE :
Israël !

MOHAMED :
Palestine !

LE COQ :
Cocorico !
Ils en viennent aux mains.
Entre le général Cock.

GENERAL COCK :
Halte là, mes gaillards.
Au nom de Sa Majesté britannique,
Je vous somme de laisser ce coq
Et de rester tranquilles.

MOÏSE :
C'est mon coq.

MOHAMED :
Non, c'est le mien.

GÉNÉRAL COCK :
Non, c'est un coq anglais.
Entre le général Decoq

GÉNÉRAL DECOQ :
Et le coq gaulois,
Qu'est-ce que vous en faites ?
N'est-il pas ici depuis les croisades ?

Yacine Kateb, *Boucherie de l'espérance*, in *Œuvres théâtrales*,
Paris,

Yacine Kateb

(Constantine, Algérie, 1929 – Grenoble, 1989)

Il est né dans une famille de lettrés. Inscrit d'abord à l'école coranique, puis à l'école française, il fait partie de la minorité algérienne privilégiée qui a été scolarisée. Le 8 mai 1945, en France, on fête la victoire sur le nazisme. En Algérie, l'armée française réprime dans le sang une manifestation nationaliste à Sétif. Kateb, qui était parmi les manifestants, est emprisonné : il a 16 ans. À sa sortie, il publie *Soliloques* (1946), poèmes où se lit l'influence de Rimbaud. Il voyage en France, exerce divers métiers : journaliste à *Alger Républicain* avec Albert Camus et Mohammed Dib, docker… En 1948, il donne une conférence à Paris sur *Abdelkader et l'Indépendance algérienne*. Considéré comme le plus grand écrivain de la littérature algérienne, l'œuvre de Kateb se centre autour du « cycle de Nedjma » : *Nedjma* (1956), *Le polygone étoilé* (1966). Son théâtre prend pour modèle la tragédie grecque : *Le cercle des représailles* (1959). En Algérie, il choisit d'écrire pour un théâtre populaire et politique en arabe dialectal : *La guerre de 2000 ans, Mohamed prend ta valise* et *La voix des femmes*.

Pour mieux comprendre

Shalom/salam : « la paix » en hébreu et en arabe. C'est une salutation.

Un douar : en arabe, c'est le territoire d'un groupe de personnes.

Cocorico : 1) en France, c'est le cri du coq 2) quand on est français, c'est être content quand la France gagne.

En venir aux mains : se battre.

Un gaillard : un homme plein de force.

Gaulois : ancien nom des Français.

Les croisades : au Moyen Âge, ce sont les expéditions entreprises par les chrétiens pour délivrer les lieux saints occupés par les musulmans.

Une boucherie : un combat meurtrier, un massacre.

ACTIVITÉS

Découverte

1. Regardez le texte : de quel genre littéraire s'agit-il ? À qui vous font penser les noms des personnages ?
2. Retrouvez deux noms de pays : dans quelle région du monde sont-ils situés ? Que savez-vous de ces pays ?
3. Lisez les deux premières répliques et soulignez les indications en italiques. Que veut fêter Moïse ? Comment réagit Mohamed ?
4. Si Mohamed dit que Moïse « se croit chez lui », alors « chez qui » est-on ? Que font-ils dans les deux répliques suivantes ? À quelles langues appartiennent ces mots ?

Exploration

1. Lisez le texte. Numérotez les répliques. Réplique 5 : que propose Moïse à Mohamed ? Comment réagit Mohamed ? Quelle est leur relation ? À partir de quel moment la situation change-t-elle et pourquoi ?
2. Répliques 8 à 18 : quelle position défend chaque personnage ? « Dialoguent-ils » vraiment ? Développez votre réponse.
3. « Et si ce coq pouvait… » : quel coup de théâtre se produit-il ? Comment jugez-vous la situation : drôle, tragique, absurde… ? Argumentez votre réponse.
4. Soulignez la phrase en italique : que sont en train de faire Moïse et Mohamed ? Qui intervient au même moment ? Quelle remarque faites-vous sur son nom ?
5. Les 5 dernières répliques : au nom de quelle puissance se présente le général Cock ? Qu'ordonne-t-il ? De nouveau, quelle est la position de Moïse et Mohamed ? Que veut montrer Kateb Yacine ?
6. Que remarquez-vous à propos du nom du second général ? Au nom de quel pays parle-t-il ? Pour lui, à qui appartient le coq ? Pourquoi ? À quelle conclusion parvenez-vous ?
7. Finalement, que symbolise le coq et quelle tragédie Yacine Kateb met-il en scène ?

Batouala

René Maran

(Fort-de-France, Martinique, 1887 – Paris, 1960)

Fils d'un haut fonctionnaire colonial guyanais, René Maran est né sur le bateau qui conduisait ses parents en Martinique. Il y reste sept ans puis la famille part pour le Gabon. Il est ensuite envoyé à Bordeaux pour poursuivre ses études, aux côtés de Félix Éboué (futur premier gouverneur noir de la Guadeloupe). En 1909, il accepte un poste de simple fonctionnaire colonial en République centrafricaine : il passe une partie de sa vie entre l'Afrique et la France. Il s'intéresse aux communautés noires de France, d'Afrique et des États-Unis, mais il se dit Français de culture. Toute son œuvre témoigne de ce déchirement entre son amour pour la France et sa critique violente du système colonial (système qui empêche son père d'avoir la Légion d'honneur). *Batouala*, sous-titré *véritable roman nègre*, qui obtient le prix Goncourt en 1921, dénonce la corruption des colons français. L'administration coloniale interdit sa diffusion en Afrique et Maran est obligé de démissionner de son poste de fonctionnaire. Il a reçu de nombreux prix pour ses récits, contes et essais : *Djouma, chien de brousse, Le cœur serré, Bêtes de la brousse, Peines de cœur, Le Tchad...*

En Afrique, pendant la colonisation, Batouala, le chef, parle à une assemblée de villageois.

– Je ne me lasserai jamais de dire, proférait cependant Batouala, je ne me lasserai jamais de dire la méchanceté des « boundjous ». Jusqu'à mon dernier souffle, je leur reprocherai leur cruauté, leur duplicité, leur rapacité.

Que ne nous ont-ils pas promis, depuis que nous avons le malheur de les connaître ! Vous nous remercierez plus tard, nous disaient-ils. C'est pour votre bien que nous vous forçons à travailler.

L'argent que nous vous obligeons à gagner, nous ne vous en prenons qu'une infime partie. Nous nous en servirons pour vous construire des villages, des routes, des ponts, des machines qui marchent, au moyen du feu, sur des barres de fer.

Les routes, les ponts, ces machines extraordinaires, où ça ! Mata ! Nini ! Rien, rien ! Bien plus, ils nous volent jusqu'à nos derniers sous, au lieu de ne prendre qu'une partie de nos gains ! Et vous ne trouvez pas notre sort lamentable ? ...

Il y a une trentaine de lunes, on achetait encore notre caoutchouc à raison de trois francs le kilo. Sans ombre d'explication, du jour au lendemain, on ne nous a plus payé que quinze sous la même quantité de « banga ». Ehein, quinze sous : un « méya » et cinq « bi'mbas ». Et c'est juste ce moment-là que le « Gouvernement » a choisi pour porter notre impôt de capitation de cinq à sept et même dix francs !

Or, personne n'ignore que, du premier jour de la saison sèche au dernier de la saison des pluies, notre travail n'alimente que l'impôt, lorsqu'il ne remplit pas, par la même occasion, les poches de nos commandants.

Nous ne sommes que des chairs à impôt. Nous ne sommes que des bêtes de portage. Des bêtes ? Même pas. Un chien ? Ils le nourrissent, et soignent leur cheval. Nous ? Nous sommes, pour eux, moins que ces animaux, nous sommes plus bas que les plus bas. Ils nous crèvent lentement.

René Maran, *Batouala*, Paris, © Éditions Albin Michel, 1921.

Pour mieux comprendre

Je ne me lasserai jamais de : je ne me fatiguerai jamais de.

Proférer : dire, prononcer.

Les « boundjous » : ce sont les colons blancs, ceux qui disent « bonjour », donc des Français.

La cruauté : la méchanceté.

La duplicité : le fait de jouer double jeu, d'être faux, hypocrite.

La rapacité : le fait de s'enrichir sans se préoccuper des autres.

Une infime partie : une toute petite partie.

un sou : 1/20e du franc, 5 centimes.

Le gain : le fait de gagner (de l'argent).

Un sort lamentable : une très mauvaise situation.

Une trentaine de lunes : environ 2 ans et demi.

Impôt de capitation : le fait de payer une taxe par individu.

Des bêtes de portage : les animaux qui portent, transportent...

Crever : tuer, faire mourir.

ACTIVITÉS

Découverte

1. Lisez les informations dans le chapeau et présentez le lieu, l'époque et les personnages.
2. Quelle remarque faites-vous sur le titre du livre d'où est extrait ce passage ? Lisez la biographie et retrouvez le sous-titre. Quelle information apporte-t-il ?
3. Lisez la première phrase et repérez le mot entre guillemets (« ») : qui ce mot représente-t-il ? Pourquoi est-il mis entre guillemets ? Qu'est-ce qui caractérise ces gens ?
4. Lisez tout le texte. Qu'avez-vous compris ? Qui parle ? Quelle autre voix fait-il entendre ?

Exploration

1. Que reproche Batouala aux « boundjous » ? Que signifient ces mots (aidez-vous de « Pour mieux comprendre ») ? Comment développe-t-il son jugement dans les trois paragraphes suivants ?

   ....

2. Soulignez « forçons » et « obligeons » : quel type de violence est faite aux Africains ?

   ....

   ....

3. Quel constat fait tout de suite après Batouala ? Que soulignent les mots de sens négatif et les exclamations ?

   ....

   ....

4. Paragraphes 5 : qui est « on » ? Qu'a décidé « on » ? Comment se comporte « on » face aux Africains ?

   ....

   ....

5. Les deux derniers paragraphes : retrouvez le mot répété. Où va l'argent que les villageois gagnent ? Quelle situation est dénoncée ?

   ....

   ....

6. Dernier paragraphe : étudiez le style (comparaison, phrases, lexique...). Qui est comparé à quoi ? Comment les colons considèrent-ils les Africains ? Quelle image est donnée des colons ? À travers les propos de Batouala, quel est l'objectif de Maran ?

   ....

   ....

7. Reliez la dernière phrase à « Vous nous remercierez (...) de fer » : qu'est-ce qui caractérise le comportement des colons ? Quel est leur rapport à l'Autre ?

   ....

   ....

Joseph Zobel

(Rivière-Salée, Martinique, 1915 – Générargues [Gard], France, 2006)

C'est l'un des auteurs les plus importants de la littérature antillaise. Issu d'une famille modeste, il est élevé par sa grand-mère, Man Tine, à qui il rend hommage dans son roman autobiographique *La Rue Cases-Nègres* qui connaît un grand succès et sera adapté pour le cinéma par Euzhan Palcy (Lion d'Argent à la Mostra de Venise en 1982).
Il fait de brillantes études, mais la Seconde Guerre mondiale isole la Martinique de la France et empêche Zobel de réaliser ses rêves. Il se tourne vers l'écriture de nouvelles dans lesquelles il décrit la vie du monde rural martiniquais. Aimé Césaire, qui dirige alors la revue *Tropiques*, l'encourage à écrire des romans.
Le premier, *Diab'là*, qui critique ouvertement le système colonial, est interdit par la censure française et ne sera édité qu'en 1947. La même année, Zobel s'installe en France, enseigne au lycée de Fontainebleau. Désirant connaître l'Afrique, il part au Sénégal en 1957, sur les conseils de Léopold Sedar Senghor. Il se retire dans le Gard en 1974, écrit, peint. Dans ses récits, *Quand la neige aura fondu* (1979), *Et si la mer n'était pas bleue* (1982), l'auteur mêle le créole au français, dans un style poétique, parfois virulent.

La Rue Cases-Nègres

En Martinique, dans les années 1930. Le jeune narrateur vit avec sa grand-mère, m'man Tine, qui travaille dans les plantations de canne à sucre :

M'man Tine m'a déjà entretenu d'un pays très lointain qui se nomme la France, où les gens ont la peau blanche et parlent d'une manière qu'on appelle « français » ; un pays d'où vient la farine qui sert à faire le pain et les gâteaux, et où l'on fabrique toutes sortes de belles choses.

Enfin, certains soirs, soit dans ses contes, soit dans ses propos M. Médouze évoque un autre pays plus lointain, plus profond que la France, et qui est celui de son père : la Guinée. Là, les gens sont comme lui et moi ; mais ils ne meurent pas de fatigue ni de faim.

On n'y voit pas la misère comme ici.

Rien de plus étrange que de voir M. Médouze évoquer la Guinée, d'entendre la voix qui monte de ses entrailles quand il parle de l'esclavage et raconte l'horrible histoire que lui avait dite son père, de l'enlèvement de sa famille, de la disparition de ses neuf oncles et tantes, de son grand-père et de sa grand-mère.

– Chaque fois que mon père essayait de conter sa vie, poursuit-il, arrivé à : « J'avais un grand frère qui s'appelait Ousmane, une petite sœur qui s'appelait Sokhna, la dernière », il refermait très fort ses yeux, se taisant brusquement. Et moi aussi, je me mordais les lèvres comme si j'avais reçu un caillou dans le cœur. « J'étais jeune, disait mon père, lorsque tous les nègres s'enfuirent des plantations, parce qu'on avait dit que l'esclavage était fini. » Moi aussi, je gambadai de joie et je parcourus toute la Martinique en courant ; car depuis longtemps j'avais tant envie de fuir, de me sauver. Mais, quand je fus revenu de l'ivresse de la libération, je dus constater que rien n'avait changé pour moi ni pour mes compagnons de chaîne. Je n'avais pas retrouvé mes frères et sœurs, ni mon père, ni ma mère. Je restai comme tous les nègres dans ce pays maudit : les békés gardaient la terre, toute la terre du pays, et nous continuions à travailler pour eux. La loi interdisait de nous fouetter, mais elle ne les obligeait pas à nous payer comme il faut.

« Oui, ajoutait-il, de toute façon, nous restons soumis au béké, attachés à sa terre ; et lui demeure notre maître. »

Certes, M. Médouze était alors en colère, et j'avais beau le regarder en fronçant les sourcils, j'avais beau avoir une furieuse envie de frapper le premier béké qui m'eût apparu, je ne réalisais pas tout ce qu'il maugréait et, pour le consoler, je lui disais :

– Si tu partais en Guinée, monsieur Médouze, tu sais, j'irais avec toi. Je pense que m'man Tine voudra bien.

Joseph Zobel, *La Rue Cases-Nègres*, 1950, Paris, © Éditions Présence Africaine, 1974.

Pour mieux comprendre

Entretenir de : parler de.
Évoquer : rappeler à la mémoire.
La Guinée : pays d'Afrique ; dès le XVIe siècle, les européens y venaient acheter des esclaves.
Les entrailles : les organes qui sont dans le ventre.
Gambader : sauter, danser.
L'ivresse : le fait d'être très enthousiaste.
Les békés, mot créole : les descendants des colons blancs, propriétaires des plantations.
M'eût apparu, v. *apparaître* au plus-que-parfait du subjonctif.
Maugréer : dire que l'on n'est pas content, en parlant entre ses dents.
Une case : un type de maison dans certains pays d'Afrique et aux Antilles.
Un nègre (péjoratif) : personne noire ; ce mot désignait aussi un esclave.

ACTIVITÉS

Découverte

1. Analysez le titre du livre d'où ce passage est extrait (aidez-vous de « Pour mieux comprendre »). Faites des hypothèses sur les thèmes du roman.

2. Lisez le chapeau (ce qui est écrit avant le texte) : où et à quelle époque se passe l'histoire ? Que savez-vous de l'histoire de ce pays ? Faites des recherches.

3. Qui sont les personnages et quelle est leur relation ? Que remarquez-vous à propos du nom de l'un d'eux ?

4. Lisez le texte : que comprenez-vous ? De quels pays est-il question ? Quel lien peut-il y avoir entre eux ? Il y a 8 paragraphes. Numérotez-les.

Exploration

1. Qu'est-ce qui est dit des pays que vous avez trouvés ? Que représentent-ils pour les personnages ?

   ....

2. « Là, (...) et moi » et « On (...) comme ici » : que veut dire le narrateur ? Qui lui a transmis ces connaissances et qui est cette personne ?

   ....

3. Paragraphe 5 : qui parle ? À quoi correspondent les phrases entre guillemets (« ») ? Qui est cité et que racontait ce personnage ? Qu'est-ce qui lui était impossible de dire ? Qu'a-t-il sans doute fait avec les autres « nègres » ?

   ....

4. Soulignez les phrases « Et moi aussi... »/ «Moi aussi... » : qu'est-ce qui est mis en parallèle ?

   ....

5. Retrouvez le fragment qui contient « Mais » : que marque ce mot ? Quels constats fait M. Médouze après la joie de la « libération » ? Quelle réalité évoque « mes compagnons de chaîne » ?

   ....

6. « Je restai (...) il faut. » : après l'abolition de l'esclavage, quelle est la nouvelle situation de « tous les nègres » et quelle est celle des « békés » ? Comment expliquez-vous ces faits ?

   ....

7. « Oui, (...) maître » : quelle est la conclusion de M. Médouze ?

   ....

   ....

8. À travers le récit de M. Médouze, que veut transmettre Joseph Zobel ? Quel espoir peut porter le jeune narrateur qui sera le premier scolarisé de sa lignée ?

   ....

   ....

Une saison au Congo

Aimé Césaire

(Basse-Pointe, Martinique, 1913 – Fort-de-France, 2008)

Il fait de brillantes études au lycée Schœlcher de Fort-de-France puis poursuit sa scolarité en France au lycée Louis Le Grand et intègre l'E.N.S (École Normale Supérieure) à Paris, rencontre Senghor et fonde la revue *L'Étudiant noir* en 1934 (avec Léon-Gontran Damas et Birago Diop). En 1939, il invente le concept de « négritude » : la simple « reconnaissance du fait d'être noir, [...] de notre histoire et de notre culture ». Il adhère un moment au Parti communiste. Professeur de Lettres à la Martinique, il dirige la revue *Tropiques*. Il rencontre André Breton qui préfacera le recueil *Les Armes miraculeuses*. À 32 ans, Césaire est élu maire de Fort-de-France (il le restera pendant 56 ans) et député. Ses écrits témoignent d'une prise de conscience politique et existentielle et expriment son engagement littéraire et culturel dans des essais, *Discours sur le colonialisme, Toussaint Louverture, la Révolution française et le problème colonial*, dans la poésie, *Cahier d'un retour au pays natal, Soleil cou coupé, Moi, laminaire* et au théâtre, *Et les chiens se taisaient, La tragédie du roi Christophe, Une saison au Congo*. Il se bat pour la cause des Noirs, élargie à celle de tous les hommes exploités, dominés, privés d'Histoire.

Scène 1

Quartier africain de Léopoldville.
Attroupement d'indigènes autour d'un bonimenteur,
sous l'œil plus ou moins inquiet de deux flics belges.

LE BONIMENTEUR

Mes enfants, les blancs ont inventé beaucoup de choses et ils vous ont apporté ici, et du bon, et du mauvais. Sur le mauvais, je ne m'étendrai pas aujourd'hui. Mais ce qu'il y a de sûr et de certain, c'est que parmi le bon, il y a la bière ! Buvez ! Buvez donc ! D'ailleurs, n'est-ce pas la seule liberté qu'ils nous laissent ? On ne peut pas se réunir, sans que ça se termine en prison. Meeting, prison ! Écrire, prison ! Quitter le pays ? Prison ! Et le tout à l'avenant ! Mais voyez, vous-mêmes ! Depuis un quart d'heure, je vous harangue et leurs flics me laissent faire... Et je parcours le pays de Stanleyville au Katanga, et leurs flics me laissent faire ! Motif : Je vends de la bière et je place de la bière ! Si bien que l'on peut affirmer que le bock de bière est désormais le symbole de notre droit congolais et de nos libertés congolaises !

Mais attention ! Eh oui ! Comme il y a dans un même pays, des races différentes, comme en Belgique même, ils ont leurs Flamands et leurs Wallons, et chacun sait qu'il n'y a pas pire que les Flamands, il y a bière et bière ! Des races de bière ! des familles de bière ! Et je suis venu ici parler de la meilleure des bières, de la meilleure des bières du monde : la Polar ! – Polar, la fraîcheur des pôles sous les tropiques ! Polar, la bière de la liberté congolaise ! Polar la bière de l'amitié et de la fraternité congolaises !

Aimé Césaire, *Une saison au Congo*, Acte I, scène 1, Paris, © Éditions du Seuil, 1966, coll. *Points*, 2001.

Pour mieux comprendre

Léopoldville, Stanleyville : villes du Congo sous la colonisation belge (aujourd'hui Kinshasa et Kisangani).
Katanga : une région du Congo.
Un attroupement : un groupe de personnes qui se réunit dans la rue.
Un indigène : une personne née dans le pays.
Un flic (familier) : un policier.
Un bonimenteur : une personne qui raconte des histoires, qui ment.
M'étendrai, v. *s'étendre*, au futur : prendre du temps pour parler de quelque chose.
Et le tout à l'avenant : de même, pareil.
Haranguer : s'adresser à la foule pour la convaincre.
Un motif : une raison.
Un bock : un verre à bière.
Une race : le fait de croire qu'il y a une hiérarchie entre les individus (couleur de peau, origine, communauté).
Flamands et Wallons : en Belgique, les Wallons parlent français et les Flamands néerlandais.
La fraternité : la solidarité, l'amitié, le fait d'être frères.

Découverte

1. Observez le texte proposé et dites comment il est composé. À quoi renvoie « Scène 1 » ? À quel genre littéraire appartient cet extrait ?
2. Lisez la partie en italique et le titre du livre : où et quand l'histoire se passe-t-elle et où se trouve la ville citée ? Que savez-vous de ce pays ? Faites des recherches.
3. Qui sont les personnages en présence ?
4. Lisez l'extrait. Qui parle et à qui ? Dites ce que vous avez compris.

Exploration

1. Qu'est-ce qu'un « bonimenteur » ? Quel est son métier ici ? Qu'est-il venu faire dans le quartier africain de Léopoldville ?

   ....

2. Qui le mot « blancs » désigne-t-il ? Qui sont ces gens ? En choisissant ce terme, que fait le bonimenteur ?

   ....

3. « Mes enfants (...) il y a la bière ! » : qu'ont fait les « blancs » ? Repérez la chute. Vous attendiez-vous à cela ? Développez votre réponse.

   ....

   ....

4. Quelle « liberté » laissent les « blancs » aux Africains et pourquoi ? Soulignez un nom repris 4 fois : à quel genre d'activités ce mot est-il associé ? Que souligne ici le bonimenteur ?

   ....

   ....

5. « Mais voyez (...) libertés congolaises ! » : qu'est-il permis de faire ? Quel est le rôle des répétitions ? Que symbolise la bière ? Qu'est-ce qui est dénoncé ici ?

   ....

   ....

6. Paragraphe 2 : analysez le discours du bonimenteur (argument, exemple, comparaison). Quelle est l'intention de l'auteur ?

   ....

   ....

7. À votre avis, pourquoi Césaire a-t-il choisi de donner la parole au bonimenteur, « conteur d'histoires » ? Développez votre réponse.

   ....

   ....

L'esclave vieil homme et le molosse

Patrick Chamoiseau

(Fort-de-France, Martinique, 1953)

Il fait des études de droit et d'économie sociale en France et devient travailleur social, métier qu'il poursuit en Martinique. Il s'intéresse à l'ethnographie, aux traditions culturelles de son île et redécouvre le dynamisme de sa première langue, le créole, abandonnée pendant ses études. Romancier, essayiste, il s'interroge sur la relation entre langue et identité : *Chronique des sept misères* (1986, prix de l'île Maurice), *Solibo magnifique* (1988), *Éloge de la créolité* (1989) en collaboration avec Raphaël Confiant et Jean Bernabé, *Chemin d'école* (1994), *Écrire en pays dominé* (1997). *Texaco*, prix Goncourt 1992, l'établit comme le représentant du mouvement créoliste. Il publie des contes : *Au temps de l'antan*, 1988, Grand Prix de la littérature de jeunesse. Son œuvre, marquée par les thèmes de l'esclavage et de la domination coloniale, donne à la langue créole un statut littéraire. *L'esclave vieil homme et le molosse* transmet la violence de l'esclavage à travers le récit de la fuite d'un vieil esclave.

En Martinique, du temps de l'esclavage. Un vieil esclave s'est enfui. Le maître lance à sa poursuite un énorme chien (un molosse).

Le Maître ne comprenait pas surtout cette énergie qui semblait le porter. Un si vieux bougre. Le molosse d'habitude rattrapait les fuyards bien plus vite que cela. Mais le vieux-nègre paraissait courir plus vite que le molosse. Pas croyable. Un si vieux bougre. Plus vite que le molosse. Le Maître crut se trouver au-devant d'un prodige et cela augmentait le mystère de ces bois qui, doucement, de plus en plus, révélaient des silences de son âme. Le Maître, surpris, découvrit qu'une eau lui submergeait les yeux. Une vieille eau. Eau salée. Une eau un peu amère.

*

Le monstre s'était arrêté. En quelque part derrière les bois. Il savait que j'étais là. Il savait que je l'attendais. Son instinct de tueur décelait ma présence. Je ne bougeai pas. Le temps s'écoula encore. Je n'entendais rien. Mes bras voulurent trembler : mon imagination entamait une dérade. Je voyais le monstre se glisser derrière l'arbre où je m'étais posté. Oui, il est là de l'autre côté du tronc. Il le contourne lentement pour me briser l'en-bas. Malgré moi, je tournai la tête, changeai de position. Je l'imaginai alors de l'autre côté. Et même venant du haut. Je ne savais plus où me mettre ni comment. Mes yeux en alerte veillaient dans tous les sens. Je courus m'abriter sous un autre pied-bois en sorte de mieux couvrir la zone où je m'étais trouvé. Paix. L'ombrage, soleillées et feuillées. Rien d'autre. Alors j'écoutai. Oreilles effilées. Trous-nez ouverts. Essayant de déceler le frôlement du corps fauve sur la râpe des branches basses. Écouter même. Traverser le silence. Entendre. Il y eut comme un battement d'eau. Un débattement. Je compris là-même : *La source !...* le molosse était au fondoc de l'œil marécageux et il se débattait ! Il se noyait le corps ! Griffait à mort les bords friables ! S'enfonçait ! Remontait pour s'enfoncer encore !... Mes bras au ciel : *Hosanna... Ô Gloria !...*

Patrick Chamoiseau, *L'esclave vieil homme et le molosse*,
Paris,

Pour mieux comprendre

Un fuyard : une personne qui s'enfuit, qui part.

Un bougre : un type, un individu.

Un prodige : un événement extraordinaire, un miracle.

Submerger : couvrir, remplir.

Amer (ère) : qui a un goût désagréable.

Déceler : découvrir, trouver.

Mon imagination (...) une dérade : mon esprit commence à partir, mon imagination travaille.

Briser l'en-bas : casser les jambes.

S'abriter : se cacher.

Un pied-bois : un arbre.

L'ombrage : l'ensemble des feuilles qui donnent de l'ombre.

Effilé(e) : l'esclave a les oreilles dressées, attentives au moindre bruit.

La râpe des branches : ce qui reste des branches de l'arbre quand il n'y a plus de feuilles.

Un battement : un mouvement, du bruit ; un **débattement** : nom formé sur **débattre**, le fait de résister en faisant des efforts.

La source : l'eau qui sort de la terre.

Le fondoc : en créole, au plus profond de.

Marécageux : qui est un mélange d'eau et de terre.

Hosanna : un chant religieux de joie, de triomphe.

ACTIVITÉS

Découverte

1. Lisez le chapeau (au-dessus du texte) : quelle est l'époque ? Dans quel pays se déroule le récit ? Faites des recherches sur l'histoire de cette île.
2. Qui sont les personnages en présence et quelle est leur relation ? Quelle est la situation ?
3. Observez le passage proposé : comment est-il composé ?
4. Lisez le texte : qui sont les narrateurs ? Que comprenez-vous ?
5. Expliquez le titre du livre d'où ce passage est extrait.

Exploration

1. Quels noms utilisent les narrateurs pour parler du chien ? Expliquez le choix de chacun.

   ....

2. Paragraphe 1 : dans « le porter », *le* remplace *le vieux-nègre*, l'homme en fuite. Qu'est-ce que le maître ne comprend pas et pour quelles raisons ? Quel nom exprime son incompréhension ?

   ....

3. Soulignez les trois phrases : « Pas croyable (...). que le molosse. ». Quel est le type de ces phrases et *qui* les prononce ? De quel genre de discours s'agit-il (direct, indirect, indirect libre) et que traduit-il ?

   ....

4. Paragraphe 2, du début jusqu'à « bougeai pas. » : analysez le style des phrases (longueur, écart par rapport à la norme, répétition, parallélisme, parataxe...). Quel est l'effet recherché ?

   ....

5. « Oui, il est là de l'autre (...) l'en-bas » : quel est le temps utilisé ici (alors que le reste de l'extrait est au passé simple/imparfait) ? Comment expliquez-vous ce choix ?

   ....

6. Soulignez « l'en-bas, pied-bois, soleillées, trous-nez, fondoc » : ces mots appartiennent au vocabulaire créole ou sont créés par Chamoiseau. Qu'est-ce qu'ils apportent à cette partie du récit (pensez à celui qui raconte) ?

   ....

7. Quand l'esclave entend *un battement d'eau/un débattement*, à quoi pense-t-il ? Qu'arrive-t-il au chien ? Comment comprenez-vous les exclamations, les mots en italique et les répétitions ?

   ....

8. À votre avis, pourquoi Chamoiseau adopte-t-il deux points de vue différents (celui du maître et de l'esclave) ? Développez votre réponse.

   ....

   ....

Case à Chine

En Martinique, au milieu du XIXe siècle. Des Chinois (Chen-Sang), Congolais (Pa Gaston) et Indiens travaillent dans les plantations de canne à sucre. Les Indiens refusent d'obéir : le commandeur Audibert est en colère. Il appelle Péroumal pour traduire.

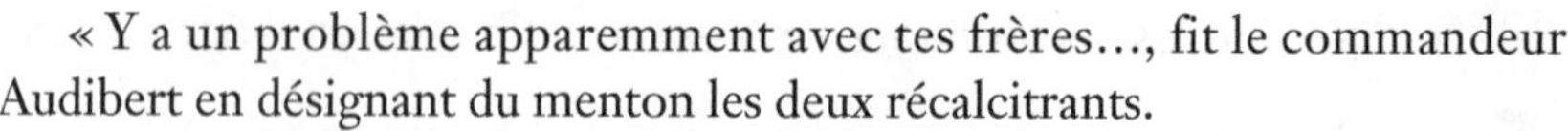

Raphaël Confiant

(Le Lorrain, Martinique, 1951)

Il fait des études de sciences politiques et d'anglais à l'université d'Aix-en-Provence, en France. Docteur en Langues et Cultures Régionales, il enseigne à l'université de la Martinique. Dès les années 1970, il milite activement aux côtés de Patrick Chamoiseau et Jean Bernabé pour la création du Mouvement de la créolité. Il participe au premier journal en créole, *Gri an tè*, de 1977 à 1981. Son œuvre est immense et aborde tous les genres : romans, *Le Nègre et l'Amiral* (1988, prix Antigone), *Eau de café* (1991, prix Novembre), *La Panse du chacal* (2004, prix des Amériques insulaires et de la Guyane), nouvelles et récits, essais : *Éloge de la créolité* avec Bernabé et Chamoiseau (1989), *Lettres créoles* (avec Chamoiseau, 1991), *Aimé Césaire, une traversée paradoxale du siècle* (1993). Confiant a aussi écrit des récits en créole et, comme Chamoiseau, il donne ainsi à cette langue une dimension littéraire. Son écriture, émaillée d'emprunts, de calques, de néologismes, de mots créoles et de mots anciens, bouscule souvent le français pour mieux le réinventer.

« Y a un problème apparemment avec tes frères…, fit le commandeur Audibert en désignant du menton les deux récalcitrants.

– *Ennâ nadakkudu ingué* (Qu'est-ce qui se passe ?) leur demanda Péroumal en tamoul d'un ton qui ne laissait présager rien de bon.

– *Nângué idukkâga varalé* » (On n'est pas venus ici pour ça !) grommela le plus âgé.

Péroumal secoua la tête en signe d'exaspération. Puis, il salua Pa Gaston de la main en lui demandant de ses nouvelles. Les deux hommes s'entretinrent alors en créole sans plus s'occuper des récalcitrants. Déjà, les premiers contingents de travailleurs empruntaient le chemin de pierres qui menait aux champs, coutelas sur l'épaule, une chanson gaie sur les lèvres. Leur enthousiasme surprit grandement Chen-Sang. Lui non plus n'avait pas été prévenu, à Canton, qu'il devrait couper cet étrange roseau dont les feuilles avaient l'air aussi coupantes que des lames. On lui avait simplement parlé de garder des bœufs, de les nourrir, de les soigner et, parfois, de les convoyer. Rien qu'il ne sût faire. Mais il n'en avait entendu aucun mugir depuis qu'il était arrivé sur la plantation la veille au soir. Il s'était dit que leur enclos se trouvait sans doute à l'écart des cases fétides où logeaient les travailleurs.

« Bon-bon… S'il y a un problème, il faut le régler tout de suite. Toi là, tu es venu foutre quoi dans ce pays, hein ? s'écria brusquement Péroumal en bousculant de l'épaule l'un des Indiens.

– Je… je suis venu é… étendre du sucre… au soleil…, répondit-il en pidgin.

– Voyez-vous ça ! Ha-ha-ha ! Étendre du sucre au soleil ? Et pourquoi pas aider les femmes à enfiler leurs culottes pendant que tu y es ? »

L'immigrant sortit un papier de la poche de sa tunique, un papier soigneusement attaché à l'aide d'une mince ficelle. Péroumal vit rouge. Il attrapa le document qu'il envoya valser dans le vent et brailla :

« J'en ai rien à foutre de ton contrat de merde, coolie ! Et le blanc, il s'en fout lui aussi !… T'es plus à Pondichéry, mon vieux, t'es en Martinique ! Ouvre tes oreilles, MAR-TI-NI-QUE ! Ici, c'est la loi française qui compte et rien d'autre. » (…)

Raphaël Confiant, *Case à Chine*, *Paris*, © Mercure de France, 2007.

Pour mieux comprendre

Un commandeur : la personne qui commande, surveille les esclaves ; ici, celle qui commande les coupeurs de canne.

Un récalcitrant : qui n'obéit pas.

Un ton (…) de bon : une voix qui n'annonce rien de rassurant, rien de bien.

Tamoul : une des langues parlées en Inde.

Grommeler : parler bas, entre ses dents ; (contraire : **brailler**).

Le créole, le pidgin : voir **glossaire**.

Un contingent : un groupe.

Un coutelas : un grand couteau tranchant.

Convoyer : accompagner et garder les bêtes.

Sût : v. *savoir* au subjonctif imparfait.

Mugir : pousser un cri comme celui du bœuf, de la vache.

Les cases fétides : les habitations sont sales et sentent très mauvais.

Foutre : (familier) faire.

Voir rouge : être très en colère.

Un coolie : un travailleur chinois ou indien.

ACTIVITÉS

Découverte

1. Lisez le chapeau (au-dessus du texte) : présentez le lieu et l'époque où se passe l'histoire. Faites une recherche sur l'histoire de ce pays.
2. Qui sont les personnages ? D'où viennent certains d'entre eux ? Quelle est la situation ?
3. Comment comprenez-vous le titre du livre d'où ce passage est extrait ? Comparez-le à celui de Joseph Zobel : que constatez-vous ?
4. Lisez le texte. Qu'avez-vous compris ? Retrouvez les noms des villes d'où viennent les « immigrants ». Quelles sont les langues en présence ?

Exploration

1. Qui sont les deux « récalcitrants » (début) et que refusent-ils de faire (vers la fin du texte) ? Quelles langues utilise Péroumal pour parler aux Indiens puis à Pa Gaston ? Comment expliquez-vous la situation linguistique de Péroumal ? Quel est son rôle ?
2. Repérez le passage qui parle de Chen-Sang : qui est « on » ? Qu'est-ce que « on » lui a fait croire avant de partir en Martinique et pourquoi ? Que pensait-il faire comme travail ? Quelle réalité découvre-t-il ?
3. Quel adjectif qualifie les maisons (« cases ») dans lesquelles vivent les travailleurs « immigrants » ? Qu'est-ce que cela montre des conditions de vie de ces gens ?
4. Les trois dernières répliques de Péroumal : qu'est-ce qui caractérise son attitude ? Soulignez les expressions qui appuient votre réponse. Comment appelle-t-il l'Indien ? Que veut dire ce mot et que montre-t-il de la relation entre les deux hommes ?
5. « J'en ai rien (...) d'autre. » : que rappelle Péroumal à son « compatriote » ? De quel côté est-il ? Quel est son statut dans l'organisation sociale de cette colonie ?
6. Finalement, que permet la « loi française » à cette époque en Martinique ?
7. Quelle histoire, quel visage, quelle réalité complexe de son pays rappelle ici Raphaël Confiant ?

La question préalable

Jacques Godbout
(Montréal, Canada, 1933)

Il est étudiant à l'Université de Montréal, puis enseigne un temps en Éthiopie, à l'University College of Addis-Abeba, jusqu'en 1957. À son retour dans son pays, il entre à l'Office National du film du Canada. Journaliste, essayiste, cinéaste et romancier, Godbout est aussi un voyageur : Moyen-Orient, Mexique, Haïti... Il est l'auteur d'une trentaine de films : *Le mouton noir* (1992), *L'affaire Norman William* (1994), *Le sort de l'Amérique* (1996) et d'autant de romans : *L'aquarium* (1962, prix France-Canada), *Salut Galarneau ! D'amour, Une histoire américaine*. En 1973, il reçoit le prix de la Fondation Georges Dupau et en 1978 le prix Belgique-Canada pour l'ensemble de son œuvre. Il a conçu des textes radiophoniques pour Radio-Canada et la Radiodiffusion française. L'Académie française lui a décerné le prix Maurice Genevoix pour *La concierge du Panthéon* (2006).

[...] Le colon anglais a abordé l'indigène sans lui imposer sa vision du monde, ayant toujours été persuadé, de toute façon, qu'il était inimitable. Le Français, au contraire, avec dans ses bagages les droits de l'homme et les Lumières, a cru qu'il pouvait transmettre et même imposer ses valeurs.

Résultat : quand les indigènes ont renvoyé chez eux les uns et les autres, les Anglais expulsés se sont empressés de créer le Commonwealth, une « richesse en partage ». La *world music* et le *world book* sont nés dans ce marché commun, les créateurs indiens, jamaïcains, sud-africains, canadiens ou britanniques y figurent comme rivaux, mais à égalité des chances.

Les Français ont plutôt perpétué l'approche coloniale en acceptant de nommer « francophonie » leur relation nouvelle avec les nations libérées. Le nouvel espace serait « francophone », la France magnanime faisait don de sa langue aux peuples du monde, mais Paris restait le banquier de la littérature.

Par ignorance ou par arrogance, la France est restée accrochée à son espace littéraire national, et ses maisons d'édition à leurs réseaux hexagonaux. L'institution littéraire française n'a pas eu vraiment envie, à ce jour, de participer à une littérature-monde. Manque d'ambition ? Narcissisme ? Quand on parcourt les actes des colloques des professeurs (hexagonaux), qui affirment s'intéresser aux écrivains « francophones », on découvre rapidement qu'il s'agit pour ceux-ci d'abord de se créer une niche à l'intérieur de l'Éducation nationale française.

À ce jour les universités des États-Unis sont plus nombreuses que les universités françaises à s'ouvrir aux « études francophones » et dispensent de nombreux cours sur les littératures des Antilles et du Maghreb. L'université de l'État de New York à Plattsburgh propose même un diplôme en études québécoises. C'est d'ailleurs aux États-Unis qu'enseignent plusieurs écrivains francophones, dont Alain Mabanckou. En France, la littérature-monde de langue française est traitée du bout des lèvres. Francophonie rime-t-elle avec mépris ?

Jacques Godbout, « La question préalable », in *Pour une littérature-monde*, sous la direction de Michel Le Bris et Jean Rouaud, Paris, © Éditions Gallimard, 2007.

Pour mieux comprendre

Un colon : une personne qui participe à la colonisation d'un pays, qui s'y installe pour le peupler, l'exploiter. L'Angleterre a colonisé l'Inde, le Canada, l'Afrique du Sud ; la France une partie de l'Afrique (Algérie, Sénégal, Congo...), l'Indochine (le Vietnam...), les Antilles, Haïti...

Un indigène : une personne née dans le pays. Les colons appelaient **indigènes** les colonisés (péjoratif).

Inimitable : qui ne peut être imité, recopié.

Les Lumières : référence au XVIIIe siècle, aux philosophes (Rousseau, Diderot, Voltaire...).

Le Commonwealth : alliance morale plus que politique des pays qui ont subi l'influence anglaise à travers la colonisation.

Perpétuer : faire durer, continuer.

Magnanime : qui a de la grandeur, de la force ; qui est bon, généreux ; ici, le mot est ironique.

L'arrogance : le fait de se croire au-dessus des autres et d'être méprisant (**mépris**).

Une niche : ici, un espace à part, un refuge qui protège ou permet d'obtenir des avantages.

Préalable : qui doit être dit, fait, examiné avant.

ACTIVITÉS

Découverte

1. Que veut dire pour vous l'adjectif « francophone » ou le nom « francophonie » ?
2. Comment comprenez-vous le titre du livre d'où est extrait ce passage ? Quelle peut être cette « question préalable » ?
3. Lisez le texte : que comprenez-vous ? Numérotez les 5 paragraphes.
4. Paragraphe 1 : quelle a été l'attitude des colons anglais et français face aux colonisés et pourquoi ? Qu'en pensez-vous ?

Exploration

1. Lorsque les pays colonisés (« les indigènes ») sont devenus libres, que s'est-il passé (« résultat ») ? Qu'ont fait les Anglais et les Français (paragraphes 2-3) ? Qu'est-ce qui est drôle quand Godbout écrit : « quand les indigènes (...) autres » ?
2. Soulignez les adjectifs de nationalité : comment ces gens sont-ils considérés dans « ce marché commun » ? Qu'en pensez-vous ?
3. « Le nouvel (...) littérature » : quelle critique fait Godbout des Français ? Commentez la métaphore du banquier. Finalement, que serait la francophonie ?
4. Paragraphe 4 : quelles hypothèses sont proposées (début et milieu du paragraphe) pour expliquer l'attitude de l'institution littéraire française ?
5. Que remarque l'auteur lorsqu'il compare les universités française et américaine ? Qu'est-ce qui peut paraître paradoxal, contradictoire ? Logiquement, à quoi devrait-on s'attendre ?
6. Que permet l'Amérique aux auteurs « francophones » ? En connaissez-vous d'autres dans cette situation (recherchez-les dans ce manuel) ? Que nous laisse deviner Godbout de la France ?
7. Avec les « droits de l'homme et les Lumières » dans « ses bagages », qu'est-ce que le Français a imposé à l'Autre, le colonisé, et que continue-t-il de faire ? Implicitement, quelle différence est faite entre « littérature francophone » et « littérature-monde » ?
8. « Francophonie rime-t-il avec mépris ? » : organisez un débat autour de cette question en vous aidant des autres textes de cette thématique.

Eva Almassy

(Budapest, Hongrie, 1955)

En 1978, elle part vivre en France, en banlieue parisienne. Elle publie des livres pour la jeunesse, *Autobiographie d'un fantôme* et des romans, dont *V.O.* (1997), *Tous les jours* (1999), *Comme deux cerises* (2001). Elle crée des fictions pour France Culture et participe à une émission littéraire de cette radio : « Des papous dans la tête ».

Le jury Goncourt n'est pas obligé

Emma atteinte de la maladie Belle au bois dormant fait un peu de radio en somnambule. Elle est critique littéraire. Un jour, dans un studio du sixième étage de la maison ronde au bord de la Seine, ils sont là, à assister en direct au « tirage » du prix Goncourt. Trop sidérés pour commenter à chaud les justifications du juré qui estime devant le micro qu'*Allah n'est pas obligé* de Kourouma comporte trop de particularités africaines malgré, certes, une langue belle et riche. Pas plus qu'Allah, le Goncourt n'est obligé d'être juste en toutes circonstances. D'ailleurs, leur choix n'est pas mauvais et Kourouma repart dans l'heure avec un autre prix. N'était la petite phrase…

Eva Almassy, « Le jury Goncourt n'est pas obligé », in *Pour une littérature-monde*, sous la direction de Michel Le Bris et Jean Rouaud, Paris, © Éditions Gallimard, 2007.

Pour mieux comprendre

La maladie (...) dormant : la Belle du conte de Perrault dort pendant cent ans.
Somnambule : ici, une personne qui dort à moitié et fait des gestes automatiques.
La maison ronde au bord de la Seine : c'est la maison de Radio-France.
Un tirage : un choix par le hasard, comme dans les jeux.
Le prix Goncourt : voir **Glossaire**.
Être sidéré : être dans un grand choc émotionnel, être stupéfait.
À chaud : au moment où l'événement vient de se produire.
Un juré : un membre d'un jury.
***Allah n'est pas obligé* :** a reçu le prix Renaudot et le Goncourt des lycéens.
Allah : le nom du dieu des musulmans.

Nimrod

([Béna Djangrand], Koyom, Tchad, 1959)

Poète, romancier, essayiste, il a fui son pays en 1979. Il co-anime la revue littéraire *Agotem*. Son œuvre est importante : *Pierre, poussière, Passage à l'infini, Tombeau de Léopold Sedar Senghor, En saison, Les jambes d'Alice, Le départ*. L'auteur considère la langue comme un espace de liberté et de survie. En mai 2008, il est lauréat du prix Édouard Glissant de l'université Paris 8-Vincennes-Saint-Denis.

« La Nouvelle Chose française »

[…] En un mot, l'Africain écrit comme tout le monde. Nous n'avons strictement rien d'original à dire que l'on puisse mettre au compte de notre hérédité. La seule hérédité que nous ayons jamais eue en commun, c'est la domination. Ils sont nombreux à demander que nous en fassions le récit, juste pour vérifier le spectre de leur pouvoir sur nous. « Ils », ce sont ceux qui en sont la cause. La jouissance et le commerce du malheur des autres sont une activité aussi vieille que le monde. Personne n'en a le monopole, pas plus eux que nous. Notre prétendue africanité est souvent l'autre nom d'un masque pudiquement jeté sur notre désastre historique. Aujourd'hui, celui-ci fait les beaux jours des ONG.

Nimrod, « "La Nouvelle Chose française" Pour une littérature décolonisée », in *Pour une littérature-monde* sous la direction de Michel Le Bris et Jean Rouaud, Paris, © Éditions Gallimard, 2007

Pour mieux comprendre

L'hérédité : l'ensemble des caractères transmis par les parents aux enfants.
Que nous ayons : v. *avoir* au subjonctif présent.
Fassions : v. *faire* au subjonctif présent.
Un spectre : l'apparition d'un mort ; ici l'image de.
La jouissance : un plaisir très fort.
Le monopole : le privilège, l'exclusivité.
Pudiquement : de façon pudique, modeste, discrète. Ici, le mot est ironique.
Prétendu(e) : ce qui n'est pas vrai mais que l'on croit vrai ; soi-disant.
Un désastre : une catastrophe, un malheur.
Une ONG : une Organisation Non Gouvernementale.
Décolonisé : qui n'est plus colonisé, libéré, qui ne subit plus de **domination**.

Découverte

1. Qui sont les auteurs des textes proposés ? Présentez-les : pays de naissance, point commun…
2. Quel est le titre du livre d'où sont extraits les passages ? Comment le comprenez-vous ? À votre avis, de quels genres d'écrit peut-il s'agir ?
3. Quel est le titre de l'écrit de Nimrod ? Retrouvez le titre complet en bas du texte. Comment comprenez-vous « La Nouvelle Chose française » ? Que revendique l'auteur ?
4. Retrouvez dans le texte d'Almassy ce qui est en italique et faites le lien avec le titre de son texte : que reprend-elle et sur quoi joue-t-elle ?
5. Lisez les textes : de quoi parlent Almassy et Nimrod ?

Exploration

1. Quel est le métier d'Emma ? En quoi consiste son travail ? À quelle cérémonie assiste-t-elle avec les autres journalistes (« ils ») ? Quel est l'enjeu ? Que souligne l'auteure avec le mot « tirage » ?

   ………………………………………………………………………………

2. Qu'est-ce que les membres du jury ont « décidé » et pour quelle raison ? Que pensez-vous d'une telle justification ? Faites des recherches sur l'auteur cité.

   ………………………………………………………………………………

3. Quelle position affirme Nimrod dès sa première phrase ? Qui met-il sur le même plan ? Finalement, que répond-il de manière indirecte au jury Goncourt ?

   ………………………………………………………………………………

4. Pour Nimrod, « l'Africain » est comme tout le monde. Quelle est cependant sa particularité ? Commentez en vous appuyant sur des exemples.

   ………………………………………………………………………………

5. Kourouma n'a pas eu le prix Goncourt « malgré, certes, une langue belle et riche » : que sont obligés de reconnaître les membres du Goncourt ? Que ne sont-ils pas « obligés » de faire ?

   ………………………………………………………………………………

6. Implicitement, qu'est-ce qui est demandé à Kourouma pour obtenir le Prix ? Quel en serait le prix à payer pour lui ?

   ………………………………………………………………………………

7. Nimrod pense que l'ancien colonisateur n'attend qu'une chose de ces écrivains : écrire leur condition d'homme dominé. Que pensez-vous de son propos ?

   ………………………………………………………………………………

8. Entre le Goncourt refusé à cause « des particularités africaines » et l'étiquette d'« africanité » collée aux écrivains « noirs », qu'impose-t-on aux intellectuels des pays anciennement colonisés par la France ? Qu'est-ce qui est en fait poursuivi ?

   ………………………………………………………………………………

Maryse Condé

(Pointe-à-Pitre, Guadeloupe, 1937)

Romancière, essayiste, dramaturge, c'est l'une des grandes figures de la littérature contemporaine. Quête des racines africaines, Histoire du royaume Bambara, *Ségou* (1984-1985) rencontre un grand succès. Elle obtient le Grand Prix Littéraire de la femme pour *Moi, Tituba sorcière...*, le prix de l'Académie française pour *La vie scélérate* (1987), le prix Marguerite Yourcenar pour *Le cœur à rire et à pleurer* (1999).

Liaison dangereuse

[...] j'ai grandi dans une famille qui avait le fétichisme du français. Mon père le vénérait comme on vénère une femme. Ma mère, dont la propre mère n'avait jamais su ni lire ni écrire, a fortiori parler le français, le considérait comme la clé magique ouvrant toutes les portes de la réussite sociale. Chaque soir, au lieu de nous conter les traditionnelles aventures de Lapin et de Zamba, elle nous récitait du Victor Hugo, poète pour lequel j'éprouve jusqu'au jour d'aujourd'hui une aversion particulière. Lors de leurs séjours à Paris mes parents étaient particulièrement mortifiés lorsque serveurs et garçons de café s'extasiaient sur leur habileté à s'exprimer en français. « Ne sommes-nous donc pas aussi français qu'eux ? », soupirait tristement mon père en oubliant un détail d'importance, son noir bon teint.

Il est vrai qu'en ce temps-là le noir n'était pas encore une couleur « à bas prix », comme le dit Nicolás Guillén. On était loin des écoles encombrées où se pressent des deuxièmes générations, issues d'Arabes, d'Africains et d'Antillais. À la maternelle de la rue Éblé, dans le septième arrondissement, où j'étais la seule petite Antillaise, je jouissais d'un statut d'exception, d'enfant prodige, à faire pâlir d'envie tous les négropolitains, statut encore renforcé par mon élocution sans faille. « Elle parle si bien ! » répétait la maîtresse en me couvrant de baisers.

Maryse Condé, « Liaison dangereuse », in *Pour une littérature-monde* sous la direction de Michel Le Bris et Jean Rouaud, Paris, © Éditions Gallimard, 2007.

Dany Laferrière

([Windsor Klébert Laferrière], Port-au-Prince, Haïti, 1953)

En 1976, il s'installe à Montréal et publie son premier roman au succès international, *Comment faire l'amour avec un nègre sans se fatiguer*. Puis il part vivre à Miami où il écrit son « autobiographie américaine » (9 tomes) qui retrace son parcours. Même si son œuvre parle de son pays, il refuse l'étiquette d'auteur créole et d'écrivain de l'exil, rejette toute catégorisation.

Je voyage en français

J'ai perdu trop de temps à commenter le fait que j'écris en français. Et à débattre du fait que ce ne soit pas ma langue maternelle. Finalement, tout cela me paraît aujourd'hui assez théorique, et même un brin ridicule. Cette langue française s'est infiltrée dans mes neurones, et son chant rythme mon sang. Je pourrais reconnaître sa cadence dans une ruelle obscure de Bornéo. Autrefois, je n'aurais jamais admis une telle vérité par peur de découvrir en moi le colonisé. Mais le colonisé, je peux le dire, c'est celui qui ne se voit ni ne s'entend. Il se nourrit de mensonges. Sa vie est une fiction. À plus de cinquante ans, il est temps que je mette un peu d'ordre dans ce grenier rempli d'idéologies ringardes qu'est mon esprit. J'écris et je lis en français partout dans le monde. C'est cette langue qui m'accompagne en voyage. Je voyage léger, bien sûr. J'emmène mon ordinateur, des vêtements propres, un nécessaire de toilette, et quelques bouquins. Je lis dans l'avion. J'écris dans la chambre d'hôtel. Ma vie est devenue si simple.

Dany Laferrière, « Je voyage en français », in *Pour une littérature-monde*, sous la direction de Michel Le Bris et Jean Rouaud, Paris, © Éditions Gallimard, 2007.

Pour mieux comprendre

Le fétichisme : le fait d'admirer, de **vénérer** quelque chose.
Une aversion : le fait de ne pas aimer.
Être mortifié : être blessé, humilié.
S'extasier : admirer.
Nicolás Guillén : poète cubain (1904-1989).
Jouissais, v. *jouir* à l'imparfait : apprécier.
Un enfant prodige : un enfant exceptionnel, brillant, intelligent.
Un négropolitain : mot formé sur *nègre* et métropolitain. C'est un(e) Antillais(e) né(e) en France.
Un brin : un petit peu.
S'infiltrer : entrer peu à peu.
Les neurones : les cellules nerveuses du cerveau.
Une cadence : le rythme.
Bornéo : une île partagée entre l'Indonésie, la Malaisie et Brunei.
Une idéologie : des idées propres à une époque et aujourd'hui dépassées (**ringardes**).

Découverte

1. Quel est le titre général du livre d'où sont extraits les passages ? Que peut-il signifier ? À votre avis, de quel genre d'écrit s'agit-il ?

2. Lisez les titres entre guillemets (« ») : comment interprétez-vous celui de Maryse Condé ? Quel roman par lettres du XVIIIe siècle rappelle-t-il ?

3. Qu'est-ce qui peut sembler étrange, bizarre dans le titre de Dany Laferrière ?

Exploration

1. Lisez la première phrase du texte de Condé et les deux premières de Laferrière. Soulignez le mot commun aux deux auteurs. Que nous apprend Condé et que souligne Laferrière ?

2. Lisez les textes. Que représente le français pour les deux auteurs ? Comment les parents de Condé considéraient-ils cette langue ? Quel choix est fait entre les cultures créole et française et pourquoi ?

3. Texte de Laferrière : « Cette langue (…) Bornéo. ». En vous aidant de « Pour mieux comprendre », expliquez l'idée développée. Qu'est-ce que le « corps » de l'auteur a intégré ? Que signifie cette image ?

4. À Paris, quelle était l'attitude de certains Français face aux parents de Condé ? Que ressentaient ces derniers ? Retrouvez une situation semblable vers la fin du texte et commentez ces deux situations.

5. Texte de Condé : dans « un détail d'importance », qu'est-ce qui est paradoxal (contradictoire) ? Quelle explication donne Condé ? Quelle réalité rappelle-t-elle ?

6. « Autrefois (…) fiction. » : quel est le mot répété et à quelle Histoire renvoie-t-il ? De quoi Laferrière avait-il « peur » avant et que n'admettait-il pas ? Quel choix assume-t-il aujourd'hui ?

7. Malgré la place du français dans leur vie, malgré une œuvre importante écrite dans cette langue, Condé et Laferrière sont classés comme romanciers *francophones*. Waberi cite cette phrase entendue au salon du livre 2006 de Paris : « Anna Moï a beau écrire en langue française, ses origines vietnamiennes font d'elle un écrivain francophone. » Que pensez-vous de ces catégorisations ? Que sous-entendent-elles ? Développez vos réponses.

Le chant de l'oiseau migrateur

Alain Mabanckou

(Pointe-Noire, Congo, 1966)

Fils unique, il est élevé par une famille qui le destine au métier de magistrat. Il fait des études de droit à Brazzaville puis à Paris. Il travaille d'abord comme conseiller dans la compagnie Suez (la Lyonnaise des Eaux) et publie en même temps de la poésie (il reçoit le prix Jean-Christophe de la société des poètes français). En 1998, paraît son premier roman, *Bleu-blanc-rouge* qui est couronné par le Grand Prix littéraire d'Afrique noire. En 2002, l'université du Michigan lui propose le poste de professeur des littératures francophones. Il y reste 4 ans puis entre dans la prestigieuse université de Californie-Los Angeles (UCLA) au département d'Études francophones et de littérature comparée. Il bénéficie de la bourse de Princeton University au titre de « *Fellow in the Humanities Council and the French and Italian department* ». *Verre cassé* (2005) est salué par le public et reçoit le prix des Cinq Continents de la Francophonie. En 2006, il obtient le prix Renaudot pour *Mémoire de porc-épic. Lettre à Jimmy* est son dernier livre dans lequel il rend hommage à James Baldwin, romancier afro-américain mort en France, en 1987.

L'oiseau qui ne s'est pas envolé de l'arbre
sur lequel il est né comprendra-t-il le chant de son
compère migrateur ?

Le 19 mars 2006, je publiai dans les colonnes du quotidien *Le Monde* un article intitulé « La francophonie, oui ; le ghetto, non », dont le dessein était non seulement de m'interroger sur la place de la littérature francophone dans la création d'expression française mais aussi de proposer – et je n'allais m'en rendre compte que bien plus tard – une définition possible de ce qu'il est convenu d'appeler aujourd'hui la littérature-monde en langue française. Entre-temps, on a pu remarquer le flou que véhiculait la notion de francophonie, non pas que celle-ci soit à décrier mais par l'allusion forcément politique qu'elle sous-tend, et jamais une notion n'avait été aussi contestée, les procureurs les plus impitoyables regardant la francophonie comme la continuation de la politique étrangère de la France dans ses anciennes colonies ! La création est étrangère à ces rapports, et c'est dans cet esprit que je suggérai alors la définition de ce qu'il fallait entendre par « écrivain francophone », définition dans laquelle j'englobais également, sans tergiversations, l'écrivain français – et il suffirait de la replacer, mutatis mutandis, dans le contexte et l'esprit de la réflexion actuelle pour apercevoir en arrière-plan le portrait-robot de l'écrivain en langue française confronté au monde :

« Être un écrivain francophone, c'est être dépositaire de cultures, d'un tourbillon d'univers. Être un écrivain francophone, c'est certes bénéficier de l'héritage des lettres françaises, mais c'est surtout apporter sa touche dans un grand ensemble, cette touche qui brise les frontières, efface les races, amoindrit la distance des continents pour ne plus établir que la fraternité par la langue et l'univers. La fratrie francophone est en route. Nous ne viendrons plus de tel pays, de tel continent, mais de telle langue. Et notre proximité de créateurs ne sera plus que celle des univers. »

Alain Mabanckou, « Le chant de l'oiseau migrateur », in *Pour une littérature-monde*, sous la direction de Michel Le Bris et Jean Rouaud, Paris, © Éditions Gallimard, 2007.

Pour mieux comprendre

Un compère migrateur : un ami, un camarade qui émigre, se déplace, change de lieu.
Les colonnes du quotidien : les pages du journal *Le Monde*.
Un ghetto : un lieu où vit une communauté, séparée du reste de la population.
Un dessein : un objectif, un but.
Un flou : un manque de clarté, qui n'est pas clair.
Véhiculer : transmettre.
Décrier : critiquer, attaquer, **contester**.
Un procureur : un officier de justice qui représente la loi.
Impitoyable : qui est sans pitié, dur, inhumain.
Englober : réunir, mettre ensemble.
Sans tergiversations : sans hésitation, en allant directement à l'essentiel.
Mutatis mutandis : expression latine pour dire « en faisant les changements nécessaires ».
Un dépositaire : une personne qui reçoit quelque chose ; un gardien.
Briser : casser, rompre.
Amoindrir : diminuer, réduire.
La fratrie : l'ensemble des frères et sœurs d'une famille.

ACTIVITÉS

Découverte

1. Observez le texte : comment est-il composé ?
2. Repérez le titre : comment le comprenez-vous ?
3. Dans l'exergue (ce qui est avant le texte), quels mots du titre retrouvez-vous ? Quelle opposition est faite ? Que symbolisent l'oiseau et le chant ici ?
4. Lisez le début du texte jusqu'à « le ghetto, non » : qu'a fait Mabanckou ? À votre avis, que représente le « ghetto » ? Complétez votre réponse avec le texte de Jacques Godbout.
5. Lisez tout le texte : que comprenez-vous ? À quoi correspond la dernière partie entre guillemets ?

Exploration

1. Dans quel but l'auteur a-t-il écrit cet article (2 raisons) ? Relisez le texte de Jacques Godbout (paragraphes 3 et 4) et dites quelle réponse il apporte aux questions de Mabanckou.

   ....

2. Revenez maintenant au titre du livre d'où est extrait ce passage : de quelle « littérature » parle Mabanckou ? Que demandent les auteurs qui participent à ce livre (lisez les autres extraits) ?

   ....

3. « Entre-temps (...) colonies ! » : que constate Mabanckou ? Quel argument lui permet de dire cela ? Soulignez « l'allusion (...) politique » et « anciennes colonies » : à quelle histoire politique française pense l'auteur ? Que dit Godbout (paragraphe 3) ?

   ....

4. Dernière partie du texte : reformulez en une phrase la définition que donne Mabanckou de « l'auteur francophone ». De quels héritages se veut-il le continuateur ? Comment jugez-vous sa position ?

   ....

5. Quand l'auteur parle d'apporter « sa touche », à votre avis, à quoi peut-il penser ? Lisez le texte d'Eva Almassy : en apportant une « touche » linguistique singulière à la langue française, que n'a pas obtenu Kourouma pour son livre ? Quelles réflexions pouvez-vous faire ?

   ....

6. Pour l'auteur, quels types de « frontières » la langue doit-elle casser/dépasser ? En proposant la « fraternité par la langue », « la fratrie francophone », quel message transmet-il ?

   ....

7. « Nous ne viendrons (...) univers » : pour Mabanckou, quel rôle doit jouer la langue que partagent tous ceux qui la parlent ? Quels liens faites-vous avec le texte d'Edmond Jabès ?

   ....

8. Pour Mabanckou, la création littéraire se situe en dehors de la politique, sa définition de l'écrivain francophone intègre aussi l'auteur français. Discutez cette position. Finalement, qu'apporte l'expression « littérature-monde » et qui ne se trouve pas dans l'expression « littérature francophone » ?

   ....

Entrées par auteurs/œuvres

Entrées par thèmes

9. *Écrire l'indicible*

10. *Expérience de l'autre/ découverte de l'inconnu*

11. *Absurde*

12. *Silences de l'Histoire*

13. *Littérature(s) francophone(s) ?*

Entrées
par auteurs

Académie française (l') : une institution fondée en 1635 par le cardinal de Richelieu pour promouvoir la langue française. Elle rédige des dictionnaires : le premier date de 1692 et le dernier de 1992. Elle fixe les règles, l'orthographe de la langue.

Acte (un) : une partie d'une pièce de théâtre. Un acte est composé de scènes. Les pièces classiques ont cinq actes.

Allitération (une) : répétition d'un même son consonantique (lettres ou syllabes) : « Je veux assoupi**r** ton cafa**r**d, mon amou**r**,/Et l'endo**r**mi**r**,/Te mu**r**mu**r**er ce vieil ai**r** de blues/Pou**r** l'endormi**r**. » (Senghor).

Assonance (une) : c'est la répétition d'un son voyelle : « Si tant que d<u>u</u>re l'amour/j'ai <u>eu</u> noir/j'ai <u>eu</u> froid/encore pl<u>u</u>s noir/encore pl<u>u</u>s froid » (Miron).

Champ lexical (un) : dans un texte, c'est l'ensemble des mots qui se rapportent à une même idée, un même thème. Ex : pour *l'admiration* : « contemplèrent/intrigué/s'extasièrent... » (B. Schreiber).

Chapeau (un) : les informations placées juste avant le texte et qui permettent d'éclairer le contexte pour mieux comprendre ce dont il va être question. Il est rédigé par les auteur(e)s du manuel.

Chute (la) : la partie finale d'un texte, d'une phrase qui crée souvent un effet inattendu. Ex : Tomber à pic/<u>Couler à fond</u> (Cendrars) ; « Mais ce qu'il y a de sûr et de certain, c'est que parmi **le bon**, <u>il y a la bière !</u> » (Césaire).

Comique (le) : l'auteur(e) utilise plusieurs sortes de comique (surtout au théâtre) pour faire rire : le comique de **mots :** « Je mourrai, oui, je mourrai. Dans quarante ans... dans trois cents ans. Plus tard. Quand je voudrai, quand j'aurai le temps, quand je le déciderai » (Ionesco) ; de **situation** (le roi va mourir mais il ne veut pas !) ; de **caractère** (la personnalité) ; de **gestes**.

Coup de théâtre (un) : un retournement brutal d'une situation. Ex : lorsque Moïse et Mohamed se disputent à propos du nom de la terre, le coq répond « Cocorico ! » (Y. Kateb).

Créole (le) : une langue née du contact du français, de l'espagnol, du portugais, de l'anglais, du néerlandais avec les langues africaines des esclaves (Martinique, Guadeloupe, Haïti...).

Didascalie (une) : au théâtre, ce sont les informations données par le dramaturge au metteur en scène, aux comédiens, sur le décor, l'époque, le lieu (cf. Y. Kateb, Ionesco, Labou Tansi).

Discours (un) : il y a trois types de discours (paroles rapportées) : le discours **direct** rapporte directement les paroles d'un personnage, telles qu'il les a prononcées (un verbe introducteur, des guillemets, l'emploi de « je », « tu », du présent de l'indicatif) ; le discours **indirect** rapporte juste le contenu des paroles, intégré au récit (Ex. : « Elle savait très bien <u>que</u> pour Panis, s'exposer à la moquerie était un supplice. Mais elle savait aussi <u>que</u> cela ne durerait qu'un temps, que les gens s'habitueraient » [B. Henrichs]) ; le discours **indirect libre** met en valeur la subjectivité du personnage (sa manière de parler, ses sentiments) mais il n'y ni verbe introducteur ni guillemets (Ex. : en écrivant « Pas croyable. Un si vieux bougre. Plus vite que le molosse », Chamoiseau rend compte de la pensée intime de son personnage dans *L'Esclave vieil homme et le molosse*).

Effet de style (effet recherché, produit) : la façon dont un auteur travaille la langue pour exprimer d'une manière personnelle, particulière, une idée, pour décrire une situation.... Il cherche à faire naître une réaction, une sensation chez le lecteur. C'est sa manière singulière d'exprimer sa vision du monde. Les métaphores, synecdoques, répétitions, parallélismes... font partie des effets de style.

Esclavage (Abolition de l') : en 1833, l'esclavage est aboli (prend fin) dans les colonies britanniques et en 1848 dans les colonies françaises (Guadeloupe, Martinique, Guyane, Île de la Réunion).

Figures de style (les) : les procédés littéraires **(procédés stylistiques)** qui donnent au texte plus de force, plus de poésie : les répétitions, la métaphore, la métonymie, la comparaison, la parataxe, l'accumulation...

Francophonie : d'une façon générale et neutre, ce mot désigne l'ensemble des pays qui ont en usage le français, avec un statut plus ou moins officiel (Afrique, Québec, Maghreb, Suisse, Belgique...).

Francophone : une personne qui parle français.

Genre (le) : c'est une catégorie qui permet de classer les œuvres : théâtre, roman, poésie, correspondance, nouvelle, essai…

Gradation (une) : un ordre dans la succession de mots, dans une énumération, qui va du plus faible au plus fort, ou inversement.

Groupe nominal (un) : un déterminant (*un*, *une*, *mon*, *le*, *la*…) suivi d'un ou plusieurs mots (nom + adjectif). Ex : « des éclairs meurtriers » (Tran-Nhut).

Métaphore (une) : figure de style qui établit une relation d'équivalence entre deux termes : « du ciel qui a revêtu enfin/sa cape bleue de cérémonie » (Laâbi). Lorsqu'elle se développe dans le texte, c'est une métaphore filée.

Métonymie (une) : une figure qui consiste à remplacer un mot par un autre, lié au premier par un rapport logique, de contiguïté : <u>boire un verre</u> pour boire le vin contenu dans le verre (voir **synecdoque**).

Narrateur (le) : à ne pas confondre avec l'auteur, la personne qui écrit le texte. Le narrateur peut raconter l'histoire à la 1e personne « je » ou à la 3e personne « il/elle ». Voir **Point de vue**.

Narration (la) : dans un **récit**, l'**imparfait** présente le procès (l'action) dans son déroulement, en cours d'accomplissement (le début et la fin ne sont pas pris en compte), il en donne une image vue de l'intérieur. On l'emploie pour indiquer des actions qui se répètent, le décor, la toile de fond (second plan) ; le **passé simple** donne du procès une vision globale (le début et la fin) ; les événements racontés sont vus du dehors (premier plan). On peut aussi trouver un **présent** de narration qui renforce la dramatisation en présentant les actions comme si elles se déroulaient au moment de la lecture (Ex. : « Je *voyais* le monstre se glisser derrière l'arbre où je *m'étais posté*. **Oui**, il **est** là de l'autre côté du tronc. Il le **contourne** lentement pour me briser l'en-bas. » [Chamoiseau]).

Ne… que : c'est une négation restrictive qui peut être remplacée par « seulement ». Ex : « Quand on n'a que l'amour » (Brel) peut être remplacé par « Quand on a seulement l'amour ».

OAS (l') : Organisation Armée Secrète, dirigée par des généraux de l'armée française qui s'opposent par la violence à la politique algérienne du général de Gaulle et qui veulent que l'Algérie reste française. L'OAS a assassiné l'écrivain algérien Mouloud Feraoun.

Parataxe (la) : une succession de phrases sans mot de liaison (*et*, *ou*, *mais*, *donc*…) entre elles ; elles sont juxtaposées (, ; .). Ex : « Le monstre s'était arrêté. En quelque part derrière les bois. Il savait que j'étais là. Il savait que je l'attendais. Son instinct de tueur décelait ma présence. Je ne bougeai pas. Le temps s'écoula encore. Je n'entendais rien. » (Chamoiseau). Elle crée un effet d'enchaînement rapide.

Personnification (une) : le fait de parler d'une chose (abstraite/concrète) comme si c'était une personne. Ex : « La savane ***pleurant*** au clair de lune » (Senghor). Dans le texte de Wiesel, le nom « Mort » porte une majuscule : c'est une personnification et aussi une allégorie : « la Mort nous guette. Elle traque les Juifs. Elle ne sera pas tranquille tant qu'elle sentira notre souffle. »

Phrase (type de) : il existe 4 types de phrases : 1) déclaratif : « Alors j'écoutai. » (Chamoiseau) ; 2) interrogatif : « Pourquoi faut-il donc partir ? » (Arnothy) ; 3) exclamatif : « Et des *Kougloufs*, comme ça ! À la mer !... » (Istrati), 4) injonctif/impératif : « Ne reste pas enfermé ici, Omar-Jo. » (Chédid). Ces 4 types peuvent être à la forme affirmative, négative, impersonnelle, emphatique *(c'est… qui/que)*.

Pidgin (le) : est basé sur l'anglais et des langues d'Extrême-Orient (Inde, Chine…).

Point de vue (un) : en focalisation **zéro**, le narrateur sait tout, il est omniscient ; en focalisation **interne**, le narrateur ne dit que ce que sait et voit le personnage (il y a une restriction du champ de vision) ; en focalisation **externe**, le narrateur en sait moins sur les pensées intimes des personnages, il dit seulement ce qu'il voit.

Prix littéraires français :

– **le prix Goncourt :** créé en 1903 par Jules et Edmond de Goncourt. C'est un prix très prestigieux qui récompense chaque année le meilleur roman d'imagination.

– **Le prix Goncourt des lycéens :** créé en 1988 par la Fnac (Fédération Nationale d'Achats, chaîne nationale de vente de livres, disques, cédéroms…) en collaboration avec le

Rectorat de Rennes et l'Académie Goncourt. Le jury est composé de jeunes élèves de 15 à 18 ans.
– le prix Fémina : créé en 1904 en réaction à l'Académie Goncourt, jugée misogyne. Le jury est féminin et récompense les meilleurs romans. Depuis 1986, il y a un prix Fémina étranger.
– le prix Renaudot : créé en 1925 par des journalistes, il est décerné à un(e) auteur(e) de nouvelles.
– le prix Médicis : créé en 1958, il récompense un roman, un récit, un recueil de nouvelles au style original.
– le prix de l'Académie française : créé en 1918, c'est l'un des plus prestigieux décernés par l'Académie française. Le jury, composé de 12 membres, récompense chaque année un roman de langue française.
– le Grand prix de la Francophonie : fondation internationale créée en 1986 par le gouvernement canadien (complété par la France, le Maroc…) pour couronner l'œuvre d'un(e) auteur(e) francophone qui contribue « au maintien et à l'illustration de la langue française ».

Salon du livre insulaire : créé en 1999 ; l'île d'Ouessant (Finistère) l'organise tous les ans, fin août. Il récompense l'œuvre d'un auteur insulaire (Prix du livre insulaire).

Synecdoque (une) : le fait de désigner une partie pour le tout (il y a un rapport d'inclusion). Ex. : « (…) la longue file d'uniformes verts barrait le passage aux paysans. » (Ici, il est question des soldats allemands [Némirovsky]).

N° de projet : 10249473
Imprimé en Italie par Rotolito S.p.A. en Septembre 2018